D0529937

La collection *Challenge Plus* est imaginée et dirigée par
Ghéorghiï Vladimirovitch Grigorieff

Direction de l'édition	Yann Delalande
Direction littéraire	Françoise Dequenne
Mise en page	Stéphane Mailleux
Composition	Les Ateliers Virga Processing
Couverture	Ho Minh Duc

Composition et mise en page sur la chaîne de micro-édition Apple
(Mac II Cx ® et Laserwriter NTX ®).

Pierre Biélande

300
questions tests
sur
l'économie
et les finances

MARABOUT

Vous trouverez dans la collection Challenge Plus, la micro-encyclopédie du XXIᵉ siècle, les titres ci-après:

Culture générale
Pour en savoir plus sur les thèmes classiques: mythologie, religion, musique, cinéma, etc.

Géographie générale
A la découverte de la planète vivante: son relief, son atmosphère, les hommes, la faune, etc.

La CEE et les organismes internationaux
Pour comprendre, à l'aube de 1992, le rôle et le fonctionnement des grands organismes.

Histoire de France: des origines à la Révolution
Une histoire de France comme on ne vous l'a jamais racontée.

Economie générale
Une dissection clairement expliquée des grandes lois économiques qui régissent le monde.

Découvertes et inventions
Pour découvrir comment les génies réinventent le monde.

Et à paraître:
Histoire de France: de la Première Guerre mondiale à 1958
Biologie générale
Les grands hommes du vingtième siècle

Sommaire

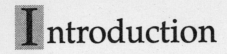

Introduction

Imaginer un livre concernant l'économie sous forme d'une série de questions à choix multiples était en soi une nouveauté.

Au départ, ce fut relativement déroutant car les qualités nécessaires pour imaginer des questions à choix multiples ne sont pas celles exigées d'un auteur au sens classique du terme.

Cette forme d'écriture synthétique et analytique présente cependant un avantage : elle n'est pas nécessairement soumise aux mêmes contraintes de rigueur propres à tout ouvrage sérieux qui se penche sur l'économie.

L'ampleur du domaine étudié nous a forcés à effectuer des choix qui s'apparentent bien plus à des renoncements qu'à des choix positifs. Il était en effet impossible — et c'eût été prétentieux — de traiter en quelque 350 questions l'ensemble de la problématique économique dans la mesure où, par essence, elle est liée à l'activité humaine depuis des temps immémoriaux.

Nous nous sommes donc concentrés sur les manifestations les plus visibles de l'économie.

Ainsi, les théories économiques, qui influencent l'action des gouvernants en un lieu et une époque donnés, furent la première étape de ce périple.

Les questions financières et monétaires obtenaient également leur droit de cité, elles qui hantent chaque jour des millions d'hommes dans le monde.

De même, l'étude des traités et organismes internationaux qui réglementent une grande partie de l'activité économique se voyait attribuer une place importante.

Un petit aparté concernant l'étude des produits de base fut également l'une de nos préoccupations.

L'économie étant une manifestation constante de l'activité des hommes au sein d'un environnement changeant, l'étude approfondie de l'histoire "économique" des plus grandes nations industrielles devait former la majeure partie de cet ouvrage. Par conséquent, étant donné les limites du livre, il nous a fallu renoncer à l'examen des économies de pays, de régions qui tiennent une place essentielle dans l'économie mondiale.

Enfin, l'ultime étape a été consacrée à un survol de faits économiques qui offraient la possibilité d'illustrer des domaines de l'économie non encore abordés.

Il est nécessaire de prendre un certain nombre de précautions oratoires en ce qui concerne la manière dont le sujet est traité. L'économie est une science sociale; elle est le reflet des opinions politiques et philosophiques des hommes. Un événement peut donc être interprété de manière radicalement opposée selon le point de vue que l'on adopte, tout en s'appuyant sur la théorie adéquate. Il en va de même pour l'auteur. Il n'est guère douteux que l'interprétation économique faite de certains événements historiques prêtera à commentaires, oppositions, débats d'idées. C'est une bonne chose et, en un sens, c'est ce qui fait la richesse de la pensée économique. Ce livre n'a pas la prétention d'être une bible économique ou un ouvrage ultime de référence; il n'a qu'un désir : donner au lecteur l'envie de se renseigner davantage.

Ce livre offrira de plus aux puristes comme aux autres une occasion de se mesurer à eux-mêmes. Rappelons pour la forme que la lecture d'un même événement donnera lieu à diverses interprétations qui ne seront peut-être pas celles de l'auteur et qui n'en seront, malgré tout, pas moins exactes.

En ce qui concerne le vocabulaire économico-financier,

il est nécessaire de mentionner le fait que, selon les sources, la définition d'un même terme peut varier considérablement. Notre choix aura été de privilégier la source technique par rapport à la source plus générale. De même, il nous aurait été loisible d'utiliser les données chiffrées les plus récentes pour l'un ou l'autre pays. Dans un souci d'harmonisation, nous avons préféré utiliser la même source pour tous les pays. Cette manière de procéder nous a empêché d'obtenir des données uniformes récentes. Les événements économiques se succédant à un rythme élevé, il est évident que certaines données sont déjà largement dépassées par une nouvelle réalité.

Mais, trêve de précautions ! Bonne lecture !

Organisation du livre

❏ Organisation des questions et de l'index

Les questions et réponses de ce livre sont organisées en huit chapitres.

Le *premier chapitre* traite de l'histoire des théories économiques en 30 questions (**de 1 à 30**). C'est sans conteste le chapitre le plus difficile du livre pour le lecteur qui n'a pas de bonnes connaissances dans ce domaine. Il est possible de sauter ce chapitre pour y revenir, éventuellement, plus tard.

Le *second chapitre* couvre la problématique comptable et financière en 47 questions (**de 31 à 77**). C'est un chapitre éminemment technique qui fait le point sur les difficultés du langage comptable et financier.

Le *troisième chapitre* est consacré à la monnaie tant au niveau théorique qu'historique, et ce en 33 questions (**de 78 à 111**).

Le *quatrième chapitre* est réservé aux traités et organismes internationaux. Il comprend trente questions (**de 112 à 141**). Ce chapitre teste vos connaissances historiques en matière de sigles et concernant l'objet des principaux traités et organismes internationaux.

Le *cinquième chapitre* traite des produits qui forment la base des échanges internationaux; et cela également en trente questions (**de 142 à 171**).

Le *sixième chapitre*, qui traite de l'histoire économique des grandes nations industrielles depuis la fin du XVIIIe siècle, se subdivise quant à lui en cinq sections et se répartit à travers 124 questions (**de 172 à 295**).

Quinze questions sont consacrées à l'histoire de la **Grande-Bretagne** (**de 172 à 186**), trente-cinq questions à celle des **Etats-Unis** (**de 187 à 221**), quinze à l'histoire économique de l'**Allemagne** (**de 222 à 236**), trente à celle du **Japon** (**de 237 à 266**), et enfin 29 questions à l'histoire économique de la France (**de 266 à 295**).

Le *septième chapitre* est une sorte de pot-pourri où l'on retrouve un rien de théorie économique, un zeste de faits économiques de l'histoire des grandes sociétés et aussi, à travers le temps, quelques faits historiques notables. Ce chapitre comprend trente-quatre questions (**de 296 à 329**).

Enfin, le *huitième chapitre* est entièrement consacré aux chiffres qu'il faut connaître pour comprendre les enjeux de l'économie mondiale (questions **de 330 à 344**).

Histoire des théories économiques

Question 1

Parmi ces trois économistes, quel est celui dont la théorie fut en grande partie à la base du mouvement des "**physiocrates**":

    A. Jean Bodin ?

    B. François Quesnay ?

    C. Richard Cantillon ?

Question 2

Lequel de ces trois économistes est l'auteur du livre : *Recherche sur la nature et les causes de la richesse des nations*:

    A. David Ricardo ?

    B. John Stuart Mill ?

    C. Adam Smith ?

Question 3

De ces trois économistes, quel est celui qui n'appartient pas à l'**école "socialiste"**:

    A. Pierre Joseph Proudhon ?

    B. Robert Owen ?

    C. Simon Kuznets ?

Question 4

De ces trois économistes, lequel fut **prix Nobel d'économie**:

    A. J. Tobin ?

    B. J.-B. Say ?

    C. J. Bentham ?

Question 5
Qui a mis en évidence l'existence de **cycles** longs (plus de 20 ans) **en économie**:
- A. Kondratiev ?
- B. Juglar ?
- C. Schumpeter ?

Question 6
Qu'est-ce qui différenciait les **auteurs socialistes** *Owen* et *Proudhon*:
- A. alors qu'Owen était d'obédience marxiste, Proudhon s'opposait au concept de la plus-value marxiste ?
- B. Owen se préoccupait uniquement de la défense des ouvriers, alors que Proudhon accordait également de l'importance à la propriété paysanne et à l'activité agricole ?
- C. Owen fit partie de l'école socialiste analysant les théories de la croissance au XXe siècle, tandis que Proudhon était un auteur socialiste du XIXe siècle ?

Question 7
Quelle **différence** marque les pensées de *Henry Ford* et de *Taylor* :
- A. alors que Ford mit en pratique sa pensée économique en termes de système productif, la pensée de Taylor resta au stade de pensée sans qu'il ne l'expérimente lui-même ?
- B. la pensée de Ford est le prolongement des propositions faites par Taylor pour augmenter le rendement du travail ?

C. alors que Ford proposa le travail posté sur une chaîne, Taylor s'opposa à cette conception jugée trop abrutissante ?

Question 8

Quelle fut l'**originalité** de *Keynes* par rapport aux classiques :

A. il critiqua les classiques en montrant que le chômage involontaire pouvait exister, ce qui n'était pas le cas dans la théorie classique ?

B. il admit la nécessité de l'intervention de l'Etat dans l'économie ?

C. Keynes, contrairement aux classiques, admit qu'il pouvait ne pas y avoir d'équilibre à un niveau de plein emploi dans une économie ?

Question 9

De qui est cet extrait commentant le travail dans les **manufactures au XIXe siècle** "*La moitié des travailleurs sont des enfants au-dessous de 13 ans et des adolescents au-dessous de 18. Cette industrie (la fabrication des allumettes chimiques) est tellement insalubre et répugnante, [...] qu'il n'y a que la partie la plus misérable de la classe ouvrière qui lui fournisse des enfants. [...] La journée de travail varie entre 12, 14 et 15 heures; on travaille la nuit... Dante trouverait les tortures de son enfer dépassées par celles de ces manufactures*":

A. de Karl Marx, dans son livre *Das Kapital* ?

B. de Proudhon, économiste socialiste, dans son livre *Qu'est-ce que la propriété?*

C. de Malthus, économiste de l'école anglaise, dans son livre *Un essai sur le principe de la population* ?

Question 10

Dans la **théorie classique** de la **concurrence parfaite**, à quoi est dû le **chômage**:

A. le chômage est un choix délibéré des individus qui ne désirent pas travailler au salaire offert sur l'ensemble du marché ?

B. le chômage est cyclique et dû aux crises de sur-production qui amènent les entrepreneurs à licencier du personnel pour diminuer la production ?

C. le chômage est la résultante du processus d'inflation. Du fait de l'augmentation des prix, il s'ensuit une augmentation des coûts de production et donc une diminution de la rentabilité. Il en découle des faillites qui provoquent le chômage ?

Question 11

La **Nouvelle économie politique** (NEP) fut instaurée par *Lénine* en réponse à une crise. A quoi cette crise était-elle due:

A. la collectivisation des terres paysannes et la création des kolkhozes avaient provoqué un écroulement de la production agricole ?

B. N. Boukharine et E. Préobrajensky préconisaient des échanges économiques sans argent et le paiement des salaires en produits. Ce système, qui réinstaurait l'économie de troc, se révéla rapidement catastrophique ?

C. la planification bouleversa le système économique au point de provoquer la faillite de l'économie soviétique ?

Question 12

Un des ces trois volets de politique économique ne faisait pas partie de la première partie du *New Deal*; lequel:

    A. la diminution du temps de travail ?

    B. la dévaluation du dollar ?

    C. l'accroissement des dépenses gouvernementales ?

Question 13

Qu'est-ce que le **révisionnisme** en économie:

    A. un courant néo-marxiste qui refusait la libéralisation de l'économie suite à la mise en œuvre de la Nouvelle économie politique instaurée par Lénine ?

    B. un courant marxiste non soviétique qui réfléchit sur les moyens de libérer la classe ouvrière ?

    C. un courant de pensée ultralibéral qui refusait l'intervention progressive de l'Etat dans l'économie ?

Question 14

Pour quelle raison l'œuvre de *Rosa Luxembourg L'accumulation du capital* fut-elle mal accueillie par l'ensemble des partis socialistes européens:

    A. parce qu'elle critiquait ouvertement les partis socialistes, les considérant comme des alliés potentiels du capitalisme bourgeois ?

    B. parce que son livre était un véritable réquisitoire contre l'impérialisme alors que la colonisation battait son plein à l'époque ?

    C. parce qu'elle s'opposait à la vision marxiste en

vigueur qui était le credo des socialistes européens ?

Question 15

Quelle est la caractéristique majeure de l'**école néo-libérale**:

A. elle rejette totalement les interventions étatiques qui, selon elle, sont à la base des distorsions que l'on trouve sur les différents marchés ?

B. elle conteste le rôle de la monnaie dans l'économie. Selon cette école, la monnaie n'est qu'un voile jeté sur le monde réel et dont le seul rôle est de permettre les échanges ?

C. elle admet les interventions étatiques dans la mesure où elles contribuent à favoriser ou restaurer les mécanismes du marché et de la concurrence ?

Question 16

Quelle fut la contribution essentielle de *Pareto* à la pensée économique:

A. il fut le premier économiste à donner une formalisation mathématique de l'équilibre général ?

B. il est le premier à avoir formulé la notion d'un équilibre optimal: l'*optimum* ?

C. il est le fondateur de l'économétrie ?

Question 17

Qu'est-ce que l'**école néo-classique**:

A. le mouvement représenté par Walras, Jevons et Menger offrant, vers 1870, une nouvelle théorie de la valeur ?

B. le mouvement récent (1970) qui marque le renouveau de la pensée économique en matière d'intervention étatique, lequel est représenté par Jan Tinbergen ?

C. la pensée économique dont un des représentants les plus illustres fut Alfred Marchall, lequel s'occupait du bien-être dans une économie ?

Question 18

Quel est le trait original de la **pensée économique** de *John Stuart Mill*:

A. après la vague des économistes libéraux de ce début de XIXe siècle, c'est l'économiste anglais qui marque un renouveau éphémère du protectionnisme ?

B. c'est le premier grand économiste à défendre de manière constante les interventions de l'Etat ?

C. sa méfiance envers le concept de croissance; il prédit que l'aboutissement de l'évolution économique sera un état de croissance zéro ?

Question 19

Quelle était l'une des **particularités** de *David Ricardo*:

A. alors qu'il possédait un sens pratique évident, il fut le théoricien le plus abstrait de l'école anglaise ?

B. vivant en France, il décrivit la révolution industrielle anglaise avec une véracité saisissante ?

C. venant d'un milieu ouvrier, il fut le premier économiste anglais à se préoccuper de l'évolution des salaires des travailleurs en termes de minimum vital ?

Question 20

En quoi la **théorie** de *Jean-Baptiste Say* se révéla-t-elle **erronée**:

A. il avait émis l'idée que le chômage n'existerait plus à terme ?

B. il pensait qu'une crise générale au sein des pays industrialisés était exclue même si des déséquilibres partiels pouvaient apparaître ?

C. il pensait que le capitalisme ne pourrait se développer davantage, faute de débouchés ?

Question 21

Quel est l'un des **apports** de *Malthus* à la théorie économique:

A. il démontra la nécessité d'interdire l'immigration et montra qu'il était nécessaire de bloquer les mouvements des facteurs de production, y compris le capital, entre les Etats ?

B. il fut le premier à démontrer comment l'industrialisation d'un pays permettait d'éviter les famines ?

C. il considérait que la population avait tendance à croître plus vite que les ressources et qu'il fallait donc la limiter ?

Question 22

Quelle théorie économique fait l'objet d'une critique rigoureuse de la part de l'**école de Cambridge**:

A. la théorie monétariste ?

B. la théorie néo-libérale ?

C. la théorie néo-classique ?

Question 23

Que postule l'**école monétariste**:

A. que la monnaie n'a qu'un rôle d'instrument d'échange dans l'économie ?

B. que la création de monnaie doit excéder les besoins de l'économie liés à la croissance, de manière à éviter un manque de liquidités qui la freinerait ?

C. que l'accroissement de la masse monétaire n'est pas un bon moyen de stimuler la croissance économique ?

Question 24

De quel courant de pensée le comte de *Saint-Simon* était-il le plus illustre représentant:

A. le courant technocratique ?

B. le courant réformiste ?

C. le courant anarchiste ?

Question 25

Qu'est-ce que la **propriété** pour *Proudhon*:

A. la propriété découle du renoncement fait par l'agent économique à une consommation immédiate des ressources en vue de constituer une épargne ?

B. la propriété est fondée sur le droit du premier occupant ?

C. la propriété, c'est le vol ?

Question 26

Un de ces effets ne fut pas lié au **fordisme**; lequel:

    A. une augmentation des salaires dans les usines Ford ?

    B. malgré un accroissement de productivité, le temps de travail journalier resta constant ?

    C. un absentéisme croissant dans les usines Ford ?

Question 27

Quel est le **contenu** de la *loi de Wicksell* concernant les revenus:

    A. ils doivent suivre l'augmentation du niveau général des prix ?

    B. ils doivent augmenter moins rapidement que la productivité pour permettre de dégager des profits permettant un plus grand accroissement des investissements ?

    C. ils doivent progresser parallèlement au produit réel de manière à ce que le niveau des prix reste constant ?

Question 28

Quel économiste important a expliqué les **crises** et la croissance **en termes d'innovation technique**:

    A. Schumpeter ?

    B. Kondratiev ?

    C. Samuelson ?

Question 29

Qu'est-ce que le *Welfare State*:

    A. l'école du *Welfare State* (l'Etat-providence) postule le plein emploi grâce à l'engagement d'un maximum de chômeurs par l'administration publique ?

B. l'école du *Welfare-State* postule une redistribution du travail en diminuant les charges patronales pour l'engagement de travailleurs ?

C. l'école du *Welfare-State* utilise l'impôt pour effectuer la redistribution des chances et du bien-être à travers la population ?

Question 30

Que postule l'école du *Public Choice* :

A. elle prône l'intervention de l'Etat lorsqu'un bien à fournir à la population est indivisible ?

B. elle dénonce la bureaucratie au sein des organismes publics ?

C. elle défend très largement l'intervention étatique au détriment de l'économie de marché.

Réponses

Réponse 1
☞ B.

François Quesnay (1694-1774), économiste français, est à la base du **mouvement physiocratique**.
Selon les physiocrates, **le monde fonctionnait automatiquement grâce à une loi naturelle** inscrite en lui.
A cette époque, naîtra, dans le cercle des adeptes de Quesnay, la célèbre maxime "Laissez faire-laissez passer" qui implique la liberté de l'initiative économique à l'intérieur du pays et le libre commerce international.
Jean Bodin était un économiste **mercantiliste**. Les mercantilistes étaient des adeptes d'une **économie entièrement tournée vers le commerce extérieur** comme source de richesse. Leur théorie était basée sur l'hypothèse que l'accumulation d'or et d'argent était favorable au développement économique de la nation. L'afflux des moyens de paiement, pensaient-ils, ne débouchait que sur une inflation modérée.

Réponse 2
☞ C.

Adam Smith, (1723-1790) économiste anglais, écrivit ce livre en 1776. Ce dernier est considéré, presque unaniment, comme la première véritable réflexion économique sur le **capitalisme libéral**.

Réponse 3
☞ C.

Simon Kuznets (1901-) ne fait pas partie de l'école

socialiste. Il reçut le **prix Nobel d'économie en 1971**. Ses réflexions portèrent plus particulièrement sur la comptabilité nationale et la croissance économique.

Réponse 4

☞ A.

James Tobin (1918-) reçut le **prix Nobel d'économie en 1981**. Ses recherches portent sur l'**analyse des marchés financiers**. Aucun des deux autres auteurs n'aurait pu recevoir le prix Nobel. Ils sont tous deux décédés avant la création du prix. Ainsi J.-B. Say naquit en 1767 et mourut en 1832, tandis que J. Bentham, qui fit partie de l'école libérale anglaise, naquit en 1748 et mourut en 1832.

Réponse 5

☞ A.

Nikolaï Kondratiev (1832-1930) est le premier économiste à avoir mis en évidence l'**existence de cycles économiques longs** d'une durée de 50 ans: 25 ans de phase haute et 25 ans de phase basse.

Le Français *Clément Juglar* (1819-1905) avait mis en évidence l'**existence de phases intermédiaires** de l'ordre de 4 à 5 ans chacune.

Schumpeter a expliqué les **cycles en termes d'innovation** mais, malgré cette contribution, le problème reste toujours épineux.

Réponse 6

☞ B.

Alors que *Robert Owen* (1771-1858) avait pour préoccupation principale la défense de la **condition sociale des ouvriers**, *Pierre Joseph Proudhon* (1809-1865) s'intéressait en outre à l'**économie paysanne**. Proudhon est une figure phare de la pensée socialiste de l'époque. Il développa une pensée égalitaire décentralisée à l'inverse des **saint-simoniens** par exemple, qui, de plus, croyaient profondément à la vertu de l'élite.

Réponse 7

☞ B.

Le **travail à la chaîne** est la mise en pratique par *Ford* de l'expérience de *Taylor* (1856-1915). Ce dernier était lui-même un ancien ouvrier qui tira de son expérience les leçons nécessaires pour augmenter le rendement du travail, notamment par l'amélioration de l'outillage. *Henry Ford* (1863-1947) prolongea cette pensée en **inventant le travail posté sur une chaîne de production**. Si la productivité et la rentabilité s'en trouvèrent nettement améliorées, les conditions de travail se dégradèrent fortement. L'absentéisme, l'opposition larvée et les grèves augmentèrent dans des proportions importantes.

Réponse 8

☞ A.

L'un des apports de *John Maynard Keynes* (1883-1946) fut de montrer que le niveau d'**emploi** dans une économie est déterminé par le **niveau de la production** qui dépend lui-même de la demande effective. John Maynard Keynes est une figure difficilement classable de l'économie: il ne fut pas qu'un théoricien et prit une part importante à la vie politique en tant que conseiller économique du gouvernement anglais. Il fut nommé directeur de la Banque d'Angleterre et dirigea la délégation britannique à la conférence de Bretton Woods.

Réponse 9
☞ A.

C'est *Karl Marx* (1818-1883) qui écrivit ce commentaire dans *Das Kapital*. Il ne fut pas le seul à le faire. Les premiers à monter au créneau pour interdire le travail des enfants furent bien souvent les libéraux.

Réponse 10
☞ A.

Dans la **théorie de la concurrence parfaite** et de l'équilibre général formulée par *Léon Walras*, le **chômage est volontaire**.
Il n'est guère question de chômage involontaire dans cette théorie qui n'admet pas la possibilité de crise durable, puisque le marché, via les prix et les quantités, s'adapte systématiquement et immédiatement à tout changement de comportement des agents économiques.

Réponse 11
☞ B.

N. Boukharine (1888-1938) et *E. Préobrajensky* écrivirent leurs pensées dans leur livre *ABC du communisme*. Ils prolongeaient la pensée de K. Marx, qui croyait en une **économie non monétaire**. Les résultats de la mise en application de ce **système de troc** s'avérèrent rapidement catastrophiques, à tel point que Lénine décida de retourner à une économie plus libérale. Il redonna une place importante au commerce privé et à la monnaie.
Dans le secteur agricole, la **NEP** amena une diminution des prélèvements fiscaux et la possibilité d'un choix entre l'exploitation individuelle et l'exploitation communautaire.
La création des **kolkhozes** ne date que de 1929, alors

que la NEP intervient en URSS entre 1921 et 1924. Le premier plan quinquennal à être mis en œuvre date, quant à lui, de 1928.

Réponse 12

☞ C.

Le *New Deal*, en tant que tel, n'a guère de consistance économique. Il s'agissait surtout d'une campagne psychologique visant à rassurer les citoyens dans les moments les plus difficiles de la **crise**. Entre 1933 et 1934, diverses mesures furent prises pour tenter d'enrayer la crise tels la dévaluation du dollar, la diminution du temps de travail ou l'établissement d'un code commercial de bonne conduite et de libre concurrence. Mais ce n'est qu'après les élections législatives de 1934 que *Roosevelt* accepta de lancer le gouvernement dans des dépenses considérables pour soulager la misère populaire due au **chômage**.

Selon certains économistes, ce sont les ajustements structurels plus profonds liés à la dévaluation du dollar et l'expansion du crédit qui permirent une reprise progressive des affaires.

Réponse 13

☞ B.

Le **révisionnisme** est, en économie, un courant marxiste non soviétique dont le grand instigateur fut *Eduard Bernstein* (1850-1932). Au début du XXe siècle, cette pensée a investi les partis politiques de tendance social-démocrate, tels les sociaux démocrates allemands, la SFIO française (Section française de l'Internationale ouvrière), le socialisme belge et les Fabiens (voir note page 42) en Grande-Bretagne.

Son contenu peut se résumer comme suit: selon la logique marxiste, le **capitalisme doit s'effondrer**. Il serait donc de bon ton que la classe ouvrière ne suive pas le même chemin... C'est pourquoi il faut **prendre une part croissante de la plus-value dégagée par le travail**. En substance, on y trouve la volonté d'améliorer le sort de la classe ouvrière et de la libérer des contraintes intolérables de production industrielle telles qu'elles existaient au XIXe siècle.

Réponse 14

☞ B.

Le livre *L'accumulation du capital* (1913) de **Rosa Luxembourg** (1870-1919) est un réquisitoire anti-impérialiste. Cette dernière est elle-même un écrivain majeur de la pensée communiste. Elle démontre dans son livre **comment procède le capitalisme pour progresser** en **se nourrissant** véritablement des systèmes périphériques et antérieurs moins capitalistiques et sophistiqués. En cela, elle s'oppose violemment à l'**expansionnisme colonial** contre lequel les socialistes européens ne voulaient pas se battre.

Leader de l'**insurrection spartakiste** de 1919, elle meurt assassinée au cours de cette insurrection écrasée par les forces conservatrices.

Réponse 15

☞ C.

L'**école néo-libérale** se caractérise par son acceptation du rôle que l'Etat doit jouer dans l'économie. Ainsi toutes les mesures visant à condamner les ententes, les monopoles, les restrictions aux mouvements de capitaux sont les bienvenues. Par contre, les interventions étatiques qui prennent la forme d'allocation de chômage sont nocives pour l'économie.

Dans une telle économie, la **stabilité monétaire**, essentielle pour atteindre un équilibre, se fait grâce à l'**équilibre budgétaire**.

Réponse 16

☞ B.

Pareto (1848-1923) est l'économiste qui présenta le premier la notion d'*optimum*.

Un *optimum* est une situation dans laquelle il est impossible d'améliorer la condition d'un individu sans diminuer la condition d'un autre.

Cette notion d'*optimum* fut bien entendu critiquée par les marxistes qui y voyaient un **paravent** servant à justifier les inégalités de répartition des richesse. En effet, prendre à l'un pour donner aux autres... ne correspond guère à cette notion d'optimum.

Réponse 17

☞ A.

Le **mouvement néo-classique** marque un tournant dans la **théorie de la valeur**.

Jevons (1835-1882) formula l'idée que la **valeur** d'une chose était fonction de l'**utilité** que cette chose pouvait avoir pour un individu.

Pour *Menger* (1840-1921), un bien est la matérialisation de la satisfaction d'un **besoin humain**. Il proposa une distinction entre les biens économiques et les biens libres (air, eau, etc.).

Walras (1834-1910) apporta la pierre finale de l'édifice en proposant une **formalisation mathématique** de la formation des prix sur un marché. Son apport fondamental fut cependant la proposition de la **théorie de l'équilibre économique général**.

Jan Tibergen (1903-) est le fondateur de l'**économétrie**.

Réponse 18

☞ C.

John Stuart Mill (1806-1873) se méfiait profondément du concept de la croissance et prédit pour l'économie un état de **croissance zéro** à terme.

Fils de James Mill et élève de *Jean-Baptiste Say*, son apport fondamental fut la synthèse de diverses théories qui marque le couronnement de la pensée économique libérale et classique. Sans défendre les interventions étatiques, il les admet cependant lorsque nécessité fait loi.

Réponse 19

☞ A.

David Ricardo (1772-1823) fut le **théoricien** le plus **abstrait** et par conséquent le plus difficile de l'école classique anglaise. Pourtant, ses qualités évidentes de financier montraient chez lui l'existence d'un esprit pratique clair et solide. A 25 ans, il avait déjà fait fortune sur les marchés financiers.

Son principal sujet d'étude concernait la répartition des richesses; on lui doit la **notion de rente** en économie.

Réponse 20

☞ B.

Jean-Baptiste Say (1767-1832), économiste français, pensait qu'**aucune crise générale** n'était possible. La crise de 1929, précédée d'une série de crises importantes au XIXe siècle, lui donna tort. Selon lui, la croissance était le moyen d'éviter les crises partielles qui surviennent lorsqu'il y a surabondance et pénurie de certains biens.

Il énonça la célèbre **loi des débouchés** selon laquelle l'offre crée sa propre demande.

Réponse 21

☞ C.

Selon *Malthus* (1766-1834), **la croissance de la population** faisait pression sur les ressources et il fallait donc la **limiter**.

Sa théorie apparaît dans son livre *Essai sur le principe de la population* (1798). La population tendait à croître selon une **progression géométrique** (2, 4, 8, 16) alors que les ressources ne progressaient que selon une **progression arithmétique** (2, 4, 6, 8). Il en résultait une pression sur les ressources et donc un accroissement de la misère des pauvres. Sa prédiction était donc que les **famines** et les **épidémies** seraient les **régulateurs** du système économique et de la croissance de la population en éliminant le surplus par rapport aux ressources disponibles.

Réponse 22

☞ C.

L'école de Cambridge analyse de manière rigoureuse toutes les théories économiques, mais se consacre principalement à la **critique de la théorie néo-classique**. Regroupés à Cambridge autour de *Joan Robinson* notamment, les économistes de cette école s'attaquent aux concepts fondamentaux de la théorie néo-classique : le capital, le taux d'intérêt et la répartition.

Réponse 23

☞ C.

Milton Friedman (1912-), principal représentant de l'**école monétariste**, postule que les agents économiques anticipent les hausses de prix et que cette prise en compte réduit l'impact de la **hausse des quantités de monnaie** sur la production. Le résultat de cette hausse s'exprimera plus en **inflation** qu'en effet réel. La croissance économique ne peut donc être stimulée par un accroissement de la masse monétaire.

Réponse 24

☞ A.

Claude-Henri de Rouvroy, comte de *Saint-Simon* (1760-1825), était le grand penseur du **courant technocrate**. Il voulait confier le pouvoir politique aux producteurs les plus efficaces, ceux qui utilisaient au mieux les meilleures recherches industrielles.

Réponse 25

☞ C.

"La propriété, c'est le vol" est la formule qui assura, entre autres, la célébrité de *Pierre-Joseph Proudhon* (1809-1865).

En substance, les **propriétaires** bénéficient d'une **aubaine** qui leur permet de percevoir un **revenu de la propriété** sans pour autant y travailler. Le travailleur ne perçoit pas tout le fruit de son travail et il reste donc au propriétaire un solde qui représente cette aubaine. Le propriétaire ne produisant rien et percevant des produits en échange de rien est donc un parasite qui vole les travailleurs qui se trouvent sur ses terres.

Réponse 26

☞ B.

Le **temps de travail** dans les usines Ford diminua fortement grâce au gain de **productivité**. Par conséquent, le salaire des ouvriers bénéficia également d'une augmentation. Toutefois, le **travail** de plus en plus **aliénant** provoqua des **contestations syndicales** et une montée de l'**absentéisme**. Sous Ford, le temps de montage d'une automobile fut divisé par dix. Ceci provoqua une chute du coût de production et par conséquent du prix de vente des automobiles. L'ère de la **production de masse** démarrait.

Réponse 27

☞ C.

La *loi de Wicksell* postule que les revenus doivent progresser parallèlement au produit réel pour que le niveau des prix reste constant.

Réponse 28

☞ A.

Joseph Schumpeter est l'un des premiers auteurs à essayer de donner une explication du **processus d'innovation**. Il utilisa cette théorie pour expliquer les crises et les phases de croissance. J. Schumpeter voit dans l'accélération de l'innovation ou son ralentissement l'explication des phases de **cycles longs de croissance** ou de crise mis en évidence par Kondratiev.

Réponse 29

☞ C.

Les théories du *Welfare State* donnaient à la **fiscalité** le rôle de **redistribuer les revenus et le capital** pour éliminer la pauvreté.

C'était également, en 1945, le nom du programme des travaillistes anglais. Ce programme préconisait d'assurer le bien-être à tous les citoyens, "du berceau à la tombe".

Réponse 30

☞ A.

L'école du _Public Choice_ défend l'intervention de l'Etat lorsqu'un bien est indivisible.

Un bien indivisible est un bien non appropriable par un individu. La défense nationale, la télévision, la radio sont par nature des biens collectifs. L'utilisation du bien par une personne supplémentaire n'augmentant pas le coût initial (discutable pour un réseau de télévision câblé par exemple), c'est la collectivité qui doit prendre en charge sa distribution.

Note

Fabiens (Fabian Society) : association anglaise, fondée en 1883, d'inspiration socialiste et qui rejeta les théories marxistes pour s'engager dans la voie d'une reconstruction progressive de la société selon les théories de Fabius Cunctator. Cette association qui compta parmi ses membres H.G. Wells, fut à la base de la création du parti travailliste.

2

Comptabilité et finances

Question 31

Qu'est-ce que le *cash flow*:

- A. c'est un instrument de mesure de la solvabilité d'une entreprise ?
- B. c'est l'indicateur du flux net de liquidités entrant dans une entreprise ?
- C. c'est le niveau minimum de liquidités au-dessous duquel une firme ne doit jamais se situer ?

Question 32

Que sont les "*junk bonds*":

- A. des "obligations pourries" ?
- B. des "actions pourries" ?
- C. des coupons qui n'ont aucune valeur ?

Question 33

Que sont les "*blue chips*":

- A. les nouveaux venus de la finance ?
- B. les nouvelles actions sur un marché financier ?
- C. les valeurs sûres d'un marché financier ?

Question 34

Quelle est l'origine de la **comptabilité à partie double**:

- A. elle est originaire d'Arabie et fut introduite progressivement en Europe à partir du XIIe siècle ?
- B. elle vient d'une évolution de la comptabilité chinoise; elle s'est transmise via les Arabes aux Européens à partir du XIVe siècle ?
- C. elle est originaire d'Italie, plus précisément de Venise où elle fut développée à la fin du XVe siècle ?

Question 35

Qu'est-ce qu'une **lettre de change**:

A. c'est un document sans mention particulière sur lequel est inscrit un montant à payer à la personne qui présente la lettre ?

B. c'est un document qui mentionne un équivalent à payer dans la monnaie du tiré (celui qui paye) en contrepartie d'une dette quelconque ?

C. c'est un document créé en représentation d'une transaction commerciale précise, par laquelle le créancier (le tireur) ordonne à son débiteur (le tiré) de payer une somme déterminée, dans un lieu et à une date déterminés au porteur (bénéficiaire) de la traite ?

Question 36

Qu'est-ce qu'un **billet à ordre**:

A. c'est un document créé en représentation d'une dette financière par laquelle un souscripteur s'engage à payer une somme au porteur du document à une échéance définie (court ou long terme) ?

B. c'est un document créé en représentation d'une dette commerciale précise dont le paiement se fait à court terme ?

C. c'est un document créé en représentation d'une dette financière dont le paiement se fait obligatoirement à une banque précise ?

Question 37

Qu'est-ce que le **pair comptable**:

A. c'est le rapport entre le capital d'une société et le nombre d'actions émises par celle-ci ?

B. c'est la valeur comptable d'une action, c'est-à-dire le rapport entre la valeur des immobilisations d'une société et le nombre d'actions émises par celle-ci ?

C. c'est la valeur nominale d'une action ?

Question 38

Qu'est-ce qu'une **prime d'émission**:

A. c'est la différence entre le nombre d'actions qu'on est supposé pouvoir obtenir pour un certain montant lors de l'émission de ces actions et le nombre réel d'actions effectivement obtenu ?

B. c'est un droit donné aux actionnaires privilégiés d'obtenir les actions émises à un prix inférieur au prix d'émission ?

C. c'est la différence entre le prix d'émission d'une action et le pair comptable (rapport entre le capital d'une société et le nombre d'actions émises par cette société) ?

Question 39

En comptabilité, qu'est-ce que la **méthode FIFO**:

A. c'est une méthode d'évaluation des flux de trésorerie ?

B. c'est une méthode d'évaluation de la valeur des stocks ?

C. c'est une méthode de calcul du cours des actions ?

Question 40

Qu'est-ce que la **consolidation** en comptabilité:

    A. c'est l'intégration des actifs et résultats des filiales dans le bilan et le compte de résultats de la maison mère ?

    B. c'est l'opération comptable qui détermine la valeur finale des stocks en fin de période ?

    C. c'est l'opération qui permet d'intégrer les dettes des exercices antérieurs aux comptes d'une entreprise ?

Question 41

Lequel de ces trois ratios détermine le **degré de solvabilité** d'une entreprise:

    A. le délai moyen de règlement des clients ?

    B. la couverture des charges d'intérêt ?

    C. le fonds de roulement net ?

Question 42

Qu'implique une variation à la hausse du *Price/earnings ratio*:

    A. que le cours d'une action monte plus que les dividendes qui lui sont liés ?

    B. que le prix d'achat des biens intermédiaires augmente plus vite que les prix de vente au détail de cette entreprise ?

    C. que le cours de bourse d'une action monte plus vite que la répartition du résultat net par action ?

Question 43

Qu'est-ce qu'un **tantième**:

    A. c'est la part des bénéfices destinés à former les réserves de l'entreprise ?

    B. c'est le nom donné à la division des bénéfices en autant de parts égales qu'il y a d'actions ?

    C. c'est la quote-part des bénéfices distribuables d'une entreprise versée aux administrateurs ?

Question 44

Quelle **différence** existe-t-il entre la **Bourse des valeurs** et un **marché hors Bourse**:

    A. la Bourse des valeurs est la seule habilitée à la vente et à l'achat des actions internationales ?

    B. les titres négociables en bourse ne peuvent l'être en dehors de celle-ci, ce qui n'est pas le cas des titres négociables sur les marchés hors-Bourse ?

    C. seules les sociétés dont un nombre suffisant d'actions font l'objet de transactions sont cotées en Bourse, alors que le marché hors Bourse accepte la cotation des titres de société de petite et moyenne importances ?

Question 45

Qu'est-ce que le **"parquet"** à la Bourse de Buxelles:

    A. c'est le nom donné à un des deux marchés au comptant et dont l'une des caractéristiques majeures est l'unicité de la cotation journalière ?

    B. c'est le nom donné à un des deux marchés au comptant et dont l'une des caractéristiques majeures est qu'il y a plusieurs cotations par jour ?

C. c'est le nom donné au marché à terme qui se déroule sur le parquet du centre de la Bourse ?

Question 46

Quel est le **rôle** du **comité de la cote** à la Bourse de Bruxelles :

A. d'interrompre les cotations lors des surchauffes boursières ?

B. la récolte des différentes offres d'achat et de vente pour déterminer le cours des actions ?

C. de décider l'admission, la suspension et la radiation de titres à la cote officielle ?

Question 47

Une de ces obligations n'est pas à remplir si l'on désire acheter des **actions à terme** :

A. acheter un minimum de titres ?

B. déposer un montant minimum de garantie ?

C. payer les actions avant de pouvoir les revendre ?

Question 48

Qu'est-ce que "l'*obligations-rating*" :

A. c'est la technique qui permet de savoir ce que vaut une obligation à un jour précis sur les différents marchés ?

B. c'est la technique qui permet d'estimer quelles sont les obligations, parmi toutes celles présentées sur un marché, qui ont le plus de chances d'être honorées en temps voulu ?

C. c'est la technique qui permet de déterminer la

valeur actuelle d'obligations dont les termes d'échéance sont différents ?

Question 49

Qu'est-ce qu'une **obligation avec warrant:**

A. c'est un type d'obligation permettant de convertir ultérieurement l'obligation en action à un prix déterminé lors de l'émission ?

B. c'est une obligation assortie d'un droit permettant de souscrire ultérieurement à des actions de la société à un prix déterminé au préalable ?

C. c'est un type d'obligation qui permet de choisir entre une formule de coupons annuels ou le cumul des intérêts ?

Question 50

Une **action** ne donne pas droit à un des **"privilèges"** suivants; lequel:

A. la participation à la gestion de la société ?

B. la contribution aux pertes de la société ?

C. la perception de dividendes fixes chaque année ?

Question 51

Quel jour a été enregistré par le *Dow Jones* le plus fort taux de **chute** des **valeurs boursières:**

A. le jeudi 24 octobre 1929 ?

B. le jour de l'entrée en guerre des Etats-Unis contre le Japon en 1941 ?

C. le lundi 19 octobre 1987 ?

Question 52

D'où vient le terme *Dow Jones*:

    A. Charles Dow et Edward Jones établirent les premiers l'indice des valeurs industrielles qui, à l'époque, était constitué des onze titres les plus représentatifs ?

    B. J. Dow Jones fonda le New York Stock Exchange et l'indice des valeurs industrielles ?

    C. les deux journaux financiers Dow Star et Jones Tribune établirent l'indice boursier sous le nom Dow Jones ?

Question 53

De ces trois systèmes d'évaluation du **rendement** d'un **projet,** quel est celui qui utilise comme critère **"le coût du capital emprunté":**

    A. la méthode consistant à déterminer la durée de récupération de l'investissement initial ?

    B. le calcul de la valeur nette actualisée ?

    C. le calcul du taux interne de rentabilité ?

Question 54

L'un de ces phénomènes n'est pas une explication valable de la **diminution des profits** au cours des années 70:

    A. le ralentissement de la productivité globale qui plafonne à la fin des années 60 ?

    B. la part croissante du coût salarial dans les coûts de production ?

    C. les charges d'emprunt liées aux taux d'intérêt durant les années 70 ?

Question 55

Sans parler du journal financier bien connu, que représente également le *Financial Times* :

A. c'est un indice boursier ?

B. c'est un indice macro-économique qui classe les différents pays en fonction de leur capacité à payer les intérêts de leur dette publique ?

C. c'est un indice financier qui classe les entreprises en fonction des différents ratios financiers ?

Question 56

Qu'est-ce que l'indice *Standard and Poors* :

A. c'est, après le Dow Jones, le second indice boursier de la place new-yorkaise ?

B. c'est l'indice utilisé pour déterminer le niveau d'endettement des pays en fonction de leur PNB ?

C. c'est l'indice représentant l'évolution du prix des matières premières ?

Question 57

Qu'est-ce que l'**indice de fermeté relative** :

A. c'est un indice qui détermine la fermeté du marché des matières premières ?

B. c'est un indice qui révèle quand une action est surachetée ou survendue ?

C. c'est un indice utilisé par les économistes pour évaluer les tendances concernant les taux d'intérêt à court terme ?

Question 58

Qu'est-ce que le *"split"* dans le langage financier:

    A. c'est l'opération qui consiste à répartir un mon-
       tant à investir entre plusieurs titres différents de
       manière à répartir le risque ?

    B. c'est l'opération qui consiste à scinder une
       action en un nombre d'actions de valeur uni-
       taire plus petite mais de valeur cumulée égale ?

    C. c'est l'opération qui consiste à donner une
       action supplémentaire pour un certain nombre
       d'actions possédées par chaque actionnaire ?

Question 59

Qu'est-ce qu'un **"ordre au mieux"** dans le langage
financier:

    A. c'est un ordre de vente ou d'achat d'un titre
       pour lequel il n'y a pas de limite de prix fixée.
       Les ordres sont exécutables quel que soit le
       cours sur le marché ?

    B. c'est un ordre d'achat dont le montant global
       est fixé mais pas la quantité des titres à acheter,
       à charge pour l'agent de change d'en acheter le
       plus possible sans dépasser l'enveloppe ?

    C. c'est un ordre de vente ou d'achat de titres exé-
       cutable jusqu'à la fin du mois ?

Question 60

Quel **lien** relie l'**inflation** et les **achats boursiers**:

    A. en cas de hausse du taux d'inflation, on observe
       systématiquement une chute des cours des
       actions en Bourse ?

    B. en cas de forte inflation, le marché des valeurs

enregistre une diminution de la demande d'obligations ?

C. en cas de hausse du taux d'inflation, on observe une augmentation systématique des cours de Bourse ?

Question 61

Qu'est-ce que l'*option call*:

A. c'est un mécanisme qui permet d'acheter à un terme fixé et à un prix déterminé préalablement une certaine quantité de titres ?

B. c'est un mécanisme qui permet d'être le premier à acheter des titres à certains investisseurs lorsque le nombre de ces titres disponibles sur le marché tend à diminuer ?

C. c'est le moment à partir duquel un agent de change doit acheter un titre sur le marché ?

Question 62

En termes de capitalisation, quelle est la **place boursière** la **plus importante** au monde (pour l'année 1988):

A. New York ?

B. Tokyo ?

C. Londres ?

Question 63

Quelle **différence** y a-t-il entre une **OPA** et une **OPE**:

A. alors qu'une OPA propose le rachat de toutes les actions présentées pour un montant en espèces, décidé à l'avance, l'OPE propose le rachat des titres de l'entreprise visée par l'échange contre d'autres titres boursiers ou obligations ?

B. alors qu'une OPA propose le rachat de toutes les actions présentées pour un montant en espèces, décidé à l'avance, l'OPE ne propose le rachat que d'une quantité limitée de titres de l'entreprise visée contre un montant versé en espèces ?

C. alors que l'OPA est en général agressive, une OPE ne l'est jamais puisque il s'agit d'une décision conjointe des deux personnes morales concernées ?

Question 64

Que sont les **SICAV**:

A. les SICAV sont des actions émises dans un pays où le précompte mobilier est peu élevé, par une firme localisée dans un pays où le précompte mobilier est élevé ?

B. les SICAV sont des actions émises par des sociétés d'investissement qui sont garanties par un revenu minimum ?

C. les SICAV sont des parts souscrites par un acheteur et dont la contrepartie en espèces forme un capital investi en actions et en obligations sur les différents marchés boursiers ?

Question 65

Quelle est la différence entre un *broker* et un **cambiste**:

A. le cambiste opère uniquement sur les marchés des actions alors que le broker négocie uniquement des lettres de change et pratique l'escompte.

B. il n'y a aucune différence entre le broker et le

cambiste, puisque "broker" est le terme anglais qui désigne le cambiste ?

C. le cambiste est un professionnel du marché des devises tandis que le broker vend des lettres de change pour compte de tiers ?

Question 66

Qu'est-ce que le marché du *"hot money"*:

A. c'est le marché des prêts interbancaires à très court terme.

B. c'est le marché représentant l'ensemble des capitaux à court terme qui passe d'une devise à l'autre à des fins spéculatives ?

C. c'est le marché représentant l'ensemble des billets à ordre émis par les grosses entreprises et vendu directement aux investisseurs ou par l'intermédiaire d'un courtier ?

Question 67

En France, quelle est la différence entre la *Commission des opérations de Bourse* et le *Conseil de surveillance*:

A. le Conseil de surveillance est un organe interne à la Bourse, chargé de vérifier que les opérations boursières se déroulent sans erreur alors que la Commission des opérations de Bourse juge de la régularité des opérations ?

B. la Commission des opérations de Bourse vérifie que l'information donnée par ou aux souscripteurs est sincère et de qualité; elle n'a strictement rien à voir avec le Conseil de surveillance, organe collectif chargé du contrôle du directoire dans les sociétés anonymes ?

C. la Commission des opérations de Bourse est sous le contrôle du Conseil de surveillance, qui est un comité inter-ministériel chargé de superviser les opérations économiques ?

Question 68

Que signifie le *"ratio Cooke"*:

A. c'est un ratio qui donne la mesure de la solvabilité des entreprises cotées en Bourse (dettes totales/actif total) ?

B. c'est une mesure du rendement des fonds propres d'une entreprise (bénéfice net/fonds propres) ?

C. c'est un ratio de solvabilité bancaire stipulant un certain rapport entre les fonds propres et les actifs pondérés ?

Question 69

Qu'est-ce qu'un **endossement**:

A. c'est l'apposition par le porteur d'un effet de commerce de sa signature sur l'effet de manière à le transmettre ?

B. c'est l'apposition au dos d'un effet de commerce de la signature du tiers qui reçoit l'effet ?

C. c'est l'acte par lequel un tiers garantit le paiement d'un effet de commerce à l'échéance ?

Question 70

Qu'est-ce que l'**escompte**:

A. c'est l'opération qui consiste à toucher de n'importe quel tiers le montant d'un effet de commerce avant son échéance ?

B. c'est l'opération qui permet le transfert du paiement d'un effet de commerce à un autre tiers ?

C. c'est l'opération par laquelle une banque paye au porteur d'un effet de commerce la valeur de cet effet avant son terme, déduction faite de certains frais ?

Question 71

Qu'est-ce que le *Ducroire*:

A. le Ducroire est un office qui sert à garantir les prêts bancaires faits aux pays déjà largement endettés ?

B. le Ducroire est un office qui a pour mission de répertorier les personnes ou entreprises qui n'honorent pas les effets de commerce qu'ils mettent en circulation ?

C. le Ducroire est une convention par laquelle une personne garantit un vendeur contre le risque d'insolvabilité de l'acheteur ?

Question 72

Que signifie le terme **"fiducie"** qui vient du latin "fidus", terme qui désigne une personne à laquelle on peut se fier:

A. la fiducie est l'acte qui permet de déléguer ses pouvoirs de décision en matière bancaire à un homme de confiance ?

B. la fiducie est l'acte qui permet à un agent de change de prendre en charge le portefeuille d'un particulier ?

C. la fiducie est un mode de transmission du patrimoine d'un individu qui charge un administrateur de gérer ce patrimoine en vue de le trans-

mettre, en général enrichi, au terme de l'opération aux réels bénéficiaires ?

Question 73

En France, quelle est la **différence** entre le **MATIF** et le **MONEP**:

- A. le MATIF est le marché à terme des titres boursiers alors que le MONEP est le marché au
  comptant des titres boursiers ?
- B. le MATIF est le marché à terme des actions
  alors que le MONEP est le marché à terme des
  obligations ?
- C. le MATIF est le marché à terme des titres
  financiers alors que le MONEP est le marché
  des options sur les actions ?

Question 74

En France, quelle **différence** y a-t-il entre une **SICAV** et
un **fonds commun de placement**:

- A. une SICAV possède le caractère de personne
  morale, ce qui n'est pas le cas du fonds commun de placement ?
- B. une SICAV possède un capital variable, ce qui
  n'est pas le cas pour un fonds commun de placement ?
- C. la SICAV n'est qu'une forme de fonds commun
  de placement ?

Question 75

Que signifie l'expression **"donner le quitus à"**:

- A. c'est l'estimation faite par les agents de change
  qu'un titre restera probablement stable pour
  une période de longue durée (quelques mois) ?

B. c'est l'opération par laquelle on change d'affectation les cambistes qui ne peuvent plus résister à la pression dans de bonnes conditions (en général, au bout de trois ans d'activité) ?

C. c'est l'acte par lequel une autorité qualifiée dégage un gestionnaire financier quittant ses fonctions de sa responsabilité au titre de celles-ci ?

Question 76

Quel est le rôle du **remisier**:

A. c'est le banquier qui a le pouvoir d'accorder des remises sous forme de taux d'intérêt dans les opérations en devises interbancaires ?

B. c'est la personne qui est chargée de remettre des actions achetées à terme à son légitime propriétaire ?

C. c'est le gestionnaire de titres ou de portefeuille boursier pour le compte des propriétaires ?

Question 77

Qu'est-ce que le *swap*:

A. c'est l'opération qui consiste à effectuer un report en devises ou des accords de trésorerie en devises entre banques de même nationalité ?

B. c'est un troc effectué entre banques et portant sur des devises différentes grâce à un jeu d'écriture, assorti d'une clause de rachat ?

C. c'est un type de troc effectué entre agents de change qui met en jeu un nombre important d'agents et un troc à rebondissement (A échange des titres X contre des titres Y avec B qui lui-même les a obtenus en se séparant de titres Z, etc.) ?

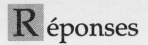éponses

Réponse 31

☞ B.

En termes plus économiques, le *cash flow* est aussi la **marge brute d'autofinancement**. C'est une notion introduite par les analystes financiers externes pour obtenir une vue rapide du **montant des moyens de trésorerie** qu'une entreprise dégage de ses activités.

Réponse 32

☞ A.

Les "*junk bonds*" peuvent littéralement se traduire par "**obligations pourries**". Ce sont des titres émis par des sociétés qui ne remplissent pas les conditions classiques pour l'octroi d'un crédit. En échange du **risque** pris par le souscripteur de l'obligation, la firme offre un **taux d'intérêt plus élevé** que la moyenne. En 1989, le taux moyen des junk bonds était de 18% contre 16% aux bons du Trésor américain.

L'histoire des junk bonds est récente et étroitement liée à l'explosion des Offres publiques d'achat (OPA) aux Etats-Unis. Les *junk bonds* ont été inventées en 1980 par *Michael Milken* alors employé par la banque Drexel-Burnham-Lambert. Ce dernier a été condamné, en 1990, à une peine de dix ans de prison ferme à la suite de manipulations frauduleuses portant sur plusieurs milliards de francs et, plus particulièrement, pour avoir enfreint les règles de secret imposées aux initiés; c'est ce qu'on appelle le "**délit d'initié**".

Réponse 33

☞ C.

Les *"blue chips"* forment l'ensemble des **valeurs sûres d'un marché.** De manière générale, ce sont les actions dont on attend une croissance régulière des cours et des dividendes tout aussi réguliers. Ce sont donc les valeurs du marché qui ne présentent pas trop de risques et qui sont régulièrement à la hausse. Elles sont surtout l'apanage des grands groupes financiers et industriels.

Les *"blue chips"* sont plus particulièrement les **30 valeurs qui forment l'indice** *Dow Jones* sur la place de Wall Street.

Réponse 34

☞ C.

La **comptabilité à partie double** naît à Venise en 1494 des œuvres du frère *Luca Pacioli* (ou Paciolo), qui, le premier, en donna une explication scientifique cohérente.

Il n'est guère étonnant que la comptabilité à partie double ait pris naissance à *Venise*, dans la mesure où les richesses humaines, matérielles et financières d'une "nation" y étaient concentrées (190 000 habitants en 1570). La nécessité d'un système d'organisation comptable, liée au développement des activités commerciales et productives, amena les comptables vénitiens à mettre au point une comptabilité rigoureuse et en adéquation avec les activités exercées dans la cité des Doges.

Réponse 35

☞ C.

La **lettre de change** est un document créé en **représentation d'une transaction commerciale précise,** par lequel l'émetteur donne mandat au tiré de payer une somme déterminée, dans un lieu et à une date déterminés au porteur (bénéficiaire) de la traite.

Elle doit comporter au moins **deux signatures**: celle du **tireur** (celui qui dit au tiré de payer) et celle du **tiré** (celui qui reconnaît devoir le montant). Le bénéficiaire de la lettre de change n'est pas uniquement le tireur: la traite est transmissible par endos, on parle à ce moment d'**endosseur** (le bénéficiaire) et d'**endossataire** (celui sur qui la traite est endossée).

Réponse 36

☞ A.

Le **billet à ordre** est créé en **représentation d'une dette financière** et donne mandat au souscripteur de payer une somme au porteur du billet à ordre; il ne porte qu'une seule signature, celle du souscripteur. C'est l'instrument idéal de la matérialisation d'un crédit.

Réponse 37

☞ A.

Pour les **actions** sans valeur nominale — le cas le plus courant étant donné l'inutilité d'une valeur nominale puisque les cours évoluent chaque jour — on calcule le **pair comptable** comme le **rapport** entre le **capital** d'une société et le **nombre d'actions** émises par cette société. La valeur intrinsèque d'une action, que l'on calcule comme le rapport entre les fonds propres et le nombre d'actions émises, est supérieure au pair comptable, dans la mesure où la société a fait des bénéfices et en a accumulé une partie sous forme de réserves.

Réponse 38

☞ C.

La **prime d'émission** se calcule comme la **différence** entre le **prix d'émission** d'une action et le **pair comptable,** qui est le rapport entre le capital d'une société et le nombre d'actions émises par celle-ci.

Réponse 39

☞ B.

La **méthode FIFO** est une méthode d'**évaluation de la valeur des stocks** pour laquelle les matières acquises en premier lieu sortent les premières des stocks (*First In, First Out*). Cette méthode se différencie de la **méthode LIFO** (*Last in, First out*) pour laquelle les matières achetées en dernier lieu sont les premières à sortir du stock.

Ces deux types d'évaluation des stocks peuvent donner lieu à des différences de valeur des stocks très importantes. Il suffit d'imaginer ce qui se produit si le cours des matières achetées double en un mois. La valeur des stocks avec la méthode FIFO sera nettement supérieure à celle estimée par la méthode LIFO puisque ne restent en stock que les matières dont le prix d'achat était très élevé.

Réponse 40

☞ A.

La **consolidation** est l'intégration des éléments de l'**actif net des filiales** dans le bilan de la maison mère et l'intégration du **prorata** des résultats des filiales dans le compte de résultats de la maison mère. Dans la plupart des pays de l'OCDE, la consolidation est de règle pour toutes les sociétés possédant des filiales. La septième directive de la CEE (1983) impose la consolidation des comptes dans les pays membres.

Réponse 41

☞ B.

La **couverture de charges d'intérêt** est un **ratio de solvabilité** qui se calcule comme suit:

(bénéfice avant impôts + charge d'intérêt)/charge d'intérêt.

Le **délai moyen de règlement des clients** est un ratio qui indique le **degré d'activité** d'une entreprise tandis que le **fonds de roulement net** est un ratio donnant la **mesure de la liquidité** d'une entreprise.

Réponse 42

☞ C.

Le *price/earnings ratio* est défini comme suit:

cours de Bourse / résultat net par action.

Ce ratio est un indicateur de l'**appréciation boursière du titre**: plus le ratio est élevé et monte, plus le titre est recherché par les investisseurs. Ce ratio **mesure la rentabilité d'une entreprise** via le cours de l'action en Bourse.

Réponse 43

☞ C.

Le **tantième** est la **quote-part des bénéfices** distribuables d'une entreprise versée aux **administrateurs**.

Réponse 44

☞ C.

Seules les **sociétés** dont un nombre suffisant d'actions font l'objet de transactions, sont **cotées** en **Bourse**. La cotation en Bourse présente plusieurs avantages:

- Les **titres cotés** en Bourse sont plus faciles à négocier et donc plus liquides.
- La **cotation** en Bourse est un indicateur de la qualité de l'entreprise: une entreprise dont la rentabilité est grande verra ses titres réévaluer.
- Les **transactions** sur les titres sont normalement
  plus nombreuses, ce qui réduit les fluctuations en
  raison de la loi des grands nombres.

Réponse 45
☞ A.

Le *parquet* est le nom donné à un des deux marchés au
comptant de la **Bourse de Bruxelles** dont la caractéristique est une cotation journalière unique. La *corbeille*
est le nom donné à l'autre marché au comptant qui
admet, lui, plusieurs cotations par jour pour les entreprises dont les titres font l'objet d'un nombre important
de transactions.
La Bourse de Bruxelles, monument classé du XVIIIe
siècle, a été victime d'un incendie le 30 novembre 1990.
Les locaux ont été sérieusement endommagés mais le
système informatique, centre nerveux de l'activité boursière, n'a subi que peu de dégâts, ce qui permit une
reprise rapide des activités.

Réponse 46
☞ C.

Le *Comité de la cote* de la **Bourse de Bruxelles** a pour
mission de décider l'admission, la suspension et la
radiation de titres à la cote officielle. C'est la *Commission de la Bourse* qui est chargée de prendre les
mesures utiles en cas de cotations anormales.

Réponse 47

☞ A.

Le **marché à terme**, s'il offre bien plus de possibilités de spéculations, implique aussi l'**obligation de faire porter les achats ou les ventes sur un minimum de titres**. Lors d'achat à terme, il est également nécessaire de déposer en argent ou en titre une couverture prévue par la loi. On en connaît le nom américain de "*deposit*", qui correspond, au minimum, à 10% de la valeur des achats à terme.

Réponse 48

☞ B.

L'*obligations-rating* est une technique qui permet aux différents placeurs de déterminer quelles sont les **obligations qui présentent le moins de risques**. En effet, sur certains marchés, il n'est pas rare de faire face à plusieurs émissions d'obligations différentes présentant des coupons sensiblement différents. Des différences de près d'1% d'intérêt ne sont pas rares et sont le reflet des diverses qualités de risques encourus par le placeur.

Réponse 49

☞ B.

L'**obligation avec warrant** est une obligation assortie d'un **droit** permettant de **souscrire ultérieurement** à des actions de la société à un prix déterminé préalablement. Le droit en question (de l'anglais *warrant*) est détachable et négociable en Bourse. C'est une des manières de permettre aux investisseurs de placer des capitaux à moindres risques et donc d'entraîner un accroissement de fonds propres de l'entreprise.

Réponse 50

☞ C.

Les **dividendes** distribués sont **fonction des bénéfices** réalisés par la firme et de la manière dont la distribution de ceux-ci est décidée. Ils n'ont donc **aucun caractère fixe**. Par contre, les actionnaires sont responsables des dettes de la société jusqu'à concurrence de leur apport. Ils ont de même un droit de participation à la gestion de la société.

Réponse 51

☞ C.

Le **krach** du lundi **19 octobre 1987** fit chuter l'indice *Dow Jones* de **22,6%** en un jour alors qu'il n'avait chuté que de 13% le premier jour du krach de 1929. Sur le mois d'octobre 1987, la capitalisation boursière du Stock Exchange de New York a chuté de 600 milliards de dollars. En France, la chute de l'indice boursier fut de 9,8% le premier jour et coûta six milliards de francs aux portefeuilles-titres des banques.

L'attaque japonaise sur Pearl Harbour a eu lieu le dimanche 7 décembre 1941. Il n'y a donc pas eu de cotation boursière ce jour-là.

Réponse 52

☞ A.

Le journaliste américain *Charles Henry Dow* remarqua que les cours de Bourse montaient et descendaient ensemble. *Dow* et *Edward Jones* **créèrent l'indice boursier Dow Jones**, qui reprenait les plus importantes compagnies de transport, avant de créer l'indice des valeurs industrielles. Au départ, constitué de **onze valeurs** (neuf de compagnies de chemin de fer), l'indice compte à partir de **1928**, et encore aujourd'hui, les **trente valeurs** les plus représentatives du marché du New York Stock Exchange, mieux connu sous le nom de Wall Street. Les trente valeurs qui forment l'indice représentent un cinquième de la capitalisation boursière de la place de New-York.

Les deux compères créèrent également ensemble le *Wall Street Journal*, la bible de tous les financiers d'Outre-Atlantique et d'au-delà.

Réponse 53

☞ C.

Le calcul du **taux interne de rentabilité** utilise le **coût marginal du capital** comme critère d'acceptation ou de rejet d'un projet. Le taux interne de rentabilité du capital est le taux d'actualisation pour lequel la valeur actualisée nette égale zéro.

N.B.: L'**actualisation** consiste à donner la valeur actuelle d'un flux de revenus futurs (combien valent, aujourd'hui, les 100 francs que je recevrai dans un an auxquels j'ajoute les 200 francs que je recevrai dans deux ans). Le taux d'actualisation est le taux utilisé pour déterminer cette valeur actuelle. Par exemple, si 108 francs à recevoir dans un an ne valent aujourd'hui que 100 francs, alors le taux d'actualisation est de 8%.

Réponse 54

☞ C.

Les **taux d'intérêt** ont fluctué énormément durant les années 70, mais ils ne sont pas fondamentalement à la base de la chute des taux de profit. Le ralentissement de la productivité, conséquence de la désuétude progressive des outils de production, et le coût salarial grandissant (le plus rigide à la baisse) sont par contre grandement responsables de cette chute.

Réponse 55

☞ A.

Le *Financial Times* est l'**indice boursier** de la place de **Londres**. Il regroupe les trente valeurs les plus représentatives du marché.

Réponse 56

☞ A.

L'**indice Standard and Poors** est le second indice de la place boursière new-yorkaise. Il est **constitué** de **500 valeurs industrielles**, sur les 1.600 valeurs cotées, qui ont été sélectionnées pour représenter les divers secteurs de l'économie américaine. Cet indice existe depuis 1957 et, en raison de son dynamisme, sert de plus en plus de référence aux professionnels américains en ce qui concerne le marché des contrats à terme et le marché des options.

Réponse 57

☞ B.

L'**indice de fermeté relative** est un indice qui révèle quand une **action** est **surachetée** ou **survendue**. *J. Welles Wilder* contribua à le développer aux Etats-Unis. Son utilité est de déterminer avec une certaine sûreté le cours plancher à la hausse ou à la baisse d'un titre. On se base sur l'hypothèse, souvent vérifiée, que la survente ou le surachat précède de peu un retournement de tendance dans le cours d'un titre.

Réponse 58

☞ B.

Le *split* est l'opération qui consiste à **scinder une action** en un nombre d'actions de valeur unitaire plus petite, mais de valeur cumulée égale, ce qui les rend plus facilement négociables. Cette opération découle bien souvent d'une situation où une entreprise qui fait des bénéfices depuis un certain temps ne les distribue pas entièrement. La valeur comptable des actions s'élève et le cours du titre en Bourse suit la même évolution. Malheureusement, à partir d'une certaine valeur, les actions sont de plus en plus difficilement négociables. Les petits investisseurs préféreront négocier 10 actions de mille francs plutôt qu'une action de dix mille francs. C'est pourquoi, on échange l'ancien titre contre un certain nombre de titres de valeurs plus petites (une action de 10 000 frs pour 10 actions de 1 000 frs chacune).

Réponse 59

☞ A.

Un **ordre au mieux** est un ordre de vente ou d'achat d'un titre pour lequel il n'y a **pas de limite de prix fixée**. Les ordres sont exécutables quel que soit le cours sur le marché. Les quantités à acheter ou à vendre sont déterminées au préalable. L'ordre au mieux est à différencier de l'**ordre à cours limité**, qui donne un **prix maximum** au-dessus duquel le client n'est plus acheteur ou inversement le **prix minimum** à partir duquel le client n'est plus vendeur.

Réponse 60

☞ B.

Une **inflation** forte se marque par une **diminution de la demande en obligations**, simplement parce que les taux réels offerts par les obligations ne sont plus assez intéressants et parfois pas suffisants pour contrebalancer la perte de pouvoir d'achat due à l'inflation.

Pour ce qui est des cours de Bourse, on ne peut donner de règles générales. En France, alors que le taux d'inflation augmente entre 1979 et 1980, l'indice boursier augmente également. Par contre, alors que le taux d'inflation reste stable mais élevé entre 1980 et 1981, l'évolution de la Bourse va à la baisse.

Réponse 61

☞ A.

L'*option call* est un **mécanisme** qui permet d'**acheter** à un terme fixé et à un **prix déterminé** au préalable une certaine quantité de titres.

Réponse 62

☞ B.

Tokyo est la **première place financière du monde en termes de capitalisation boursière,** avec 3.457,6 milliards de dollars, contre 2.772,7 milliards de dollars pour New York et 714,9 pour Londres. Par contre, New York est toujours (pour combien de temps?) la première place boursière mondiale en termes de montant des transactions.

Réponse 63

☞ A.

Alors qu'une **offre publique d'achat** (OPA) propose le **rachat** de toutes les actions présentées pour un montant **en espèces**, décidé à l'avance, l'**offre publique d'échange** (OPE) propose le **rachat** des titres de l'entreprise visée **par l'échange** contre d'autres titres boursiers ou obligations.

En général, la firme qui lance l'OPE propose ses propres titres en échange des actions rachetées.

Réponse 64

☞ C.

Les **sociétés d'investissement à capital variable** (SICAV) ne sont ni des actions ni des obligations. Ce sont des **parts d'une société** qu'un investisseur peut acquérir et revendre à son gré. L'ensemble des montants récoltés forme un **capital** qui est **investi** sur les **marchés financiers**. Les revenus et plus-values tirés des titres possédés par la **SICAV** sont capitalisés et augmentent donc la valeur du capital de celle-ci. La valeur d'une part est donc la valeur du capital de la SICAV répartie entre les différentes parts. En France, les SICAV doivent garantir que 30% de leur capital seront investis en obligations françaises, en bons du Trésor et en liquidités. Ceci leur assure une certaine stabilité.

En Belgique, l'avantage des SICAV venait de leur statut particulier qu'on ne peut assimiler à des revenus mobiliers et, par conséquent, exemptés de précompte. Cet avantage était pertinent tant que le précompte mobilier était de 25%. Depuis mars 1990, ce précompte est cependant tombé à 10% et le marché des SICAV s'est quelque peu affaibli.

Réponse 65

☞ C.

Les *brokers* sont les **courtiers**. Outre les brokers simples qui **vendent des lettres de change** pour compte de tiers, existent également les stock-brokers qui sont les agents de change, les share-brokers qui sont les courtiers d'actions, etc. Les **cambistes** sont les **agents** d'un **établissement bancaire spécialisé** dans le **commerce de devises**.

Réponse 66

☞ B.

Le *hot money* représente l'ensemble des capitaux à court terme qui passe d'une **devise** à l'autre à des **fins spéculatives**. Ces capitaux peuvent changer plusieurs fois de devises en une même journée.

Réponse 67

☞ B.

La *Commission des opérations de Bourse* vérifie que l'**information** donnée par ou aux souscripteurs est sincère et de qualité. Elle n'a strictement rien à voir avec le **Conseil de surveillance**, qui est l'organe collectif chargé du contrôle du directoire dans les sociétés anonymes par la loi du 24 juillet 1966.

Réponse 68

☞ C.

Le *ratio Cooke* est un ratio de **solvabilité bancaire** stipulant un rapport de 8% entre les fonds propres et les actifs pondérés.

Le ratio d'endettement indique le rapport entre les dettes totales et l'actif total, tandis que le rendement des fonds propres est le nom du ratio qui rapporte le bénéfice propre aux fonds propres.

Réponse 69
☞ A.

L'**endossement** est l'apposition par le porteur d'un effet de commerce à son ordre de sa **signature** sur l'effet pour pouvoir le transmettre. Les effets de commerce sont, entre autres, la lettre de change (traite), le billet à ordre, le chèque et le warrant.

Réponse 70
☞ C.

L'**escompte** est l'opération par laquelle **une banque paye au porteur d'un effet de commerce la valeur de cet effet avant son terme,** déduction faite de certains frais. C'est un moyen rapide de rendre liquide une créance sur l'émetteur de l'effet de commerce. La banque a la possibilité de réescompter l'effet de commerce auprès de la banque centrale.

Réponse 71
☞ C.

Le *Ducroire* est une **convention** par laquelle une personne garantit un vendeur contre le **risque d'insolvabilité** de l'acheteur. Ce type de garantie fonctionne surtout à l'exportation.

La Belgique possède un *Office du Ducroire*, lequel a pour mission de garantir les ventes à l'exportation de ses nationaux contre l'insolvabilité des acquéreurs.

Réponse 72

☞ C.

La **fiducie** est un moyen d'assurer la pérennité du patrimoine par un transfert effectué en vue de sauvegarder les intérêts du bénéficiaire. Cette transmission peut se faire au décès du propriétaire ou de son vivant. La **propriété** est laissée au soin d'un **tiers** qui en a la responsabilité jusqu'au moment où le bénéficiaire est apte à reprendre la charge de la propriété dans de bonnes conditions.

Réponse 73

☞ C.

Le **marché à terme international de France** (MATIF) est le marché à terme sur les titres financiers et sur les marchandises, alors que le **marché d'options négociables de Paris** (MONEP) est le marché organisé des options sur les actions.

Une **option d'achat sur une action** donne le droit d'acquérir cette action à un **prix fixé** au départ au cours de la période qui précède la date d'échéance, cette dernière y compris. Les dates d'échéance correspondent à la fin des trimestres civils.

Réponse 74

☞ A.

L'**absence de personnalité morale** est la seule distinction entre le **fonds commun de placement** et la société d'investissement à capital variable (**SICAV**). Ces deux types d'association ont le même objet et offrent les mêmes avantages. Les SICAV sont toutefois placées dans la catégorie des fonds de placements ouverts. Ils se définissent comme des organismes de collecte de l'épargne et de placement, dont le capital variable est ouvert au public et dont la valeur des parts est déterminée par le rapport entre le total de l'actif et le nombre de parts. Les fonds communs de placement se définissent comme un ensemble de sommes affectées à un placement collectif en valeurs mobilières constituant une indivision.

Réponse 75

☞ C.

Donner le quitus à quelqu'un est l'acte par lequel une autorité qualifiée dégage un gestionnaire financier quittant ses fonctions de sa **responsabilité** au titre de celles-ci.

Réponse 76

☞ C.

Le **remisier** est le **gestionnaire de titres ou de portefeuilles boursiers** pour le compte des propriétaires. Ce terme est plus connu dans son appellation anglaise de *trustee*.

Réponse 77

☞ B.

Le *swap* est un **troc** effectué, grâce à un jeu d'écriture, **entre banques** et **portant sur des devises différentes**. Il est assorti d'une clause de rachat.

Le terme swap est improprement employé pour désigner un report en devises ou des accords de trésorerie en devises entre banques de même nationalité.

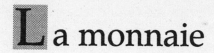

3

La monnaie

Question 78

Quelle est l'une des caractéristiques importantes de la **banque centrale américaine**:

- A. la banque centrale américaine, la Federal Reserve, est tout à fait indépendante du pouvoir politique; même une injonction présidentielle ne peut la forcer à orienter dans un sens ou dans un autre sa politique.
- B. il n'y a pas, au sens strict, de banque centrale américaine. Il s'agit plutôt du regroupement des grandes banques fédérales au sein du Federal Reserve Board ?
- C. la banque centrale américaine n'est pas la seule banque américaine à pouvoir émettre des billets de banque ($) ?

Question 79

Quel était le **cours de l'once d'or** en dollars sur le marché libre de Londres, **avant** l'**abandon** du système de change basé sur les accords de *Bretton Woods*:

- A. 35 $ l'once ?
- B. 40 $ l'once ?
- C. 55 $ l'once ?

Question 80

De quelle institution les **droits de tirage spéciaux (DTS)** sont-ils un instrument financier:

- A. des banques centrales ?
- B. de la Banque des règlements internationaux ?
- C. du Fonds monétaire international ?

Question 81

Qu'est-ce que le marché du *call money* :

    A. c'est le marché des prêts aux entreprises à très court terme (un ou deux jours) ?

    B. c'est le marché de financement interbancaire au jour le jour ?

    C. c'est le marché des obligations émises par les entreprises américaines ?

Question 82

Quelles sont les parties composant le **plus petit agrégat** de la **masse monétaire** en France:

    A. les billets de banque et la monnaie division-naire ?

    B. les billets de banque, la monnaie divisionnaire et les dépôts à vue en francs ?

    C. les billets de banque, la monnaie divisionnaire, les dépôts à vue en francs et les comptes sur livrets ?

Question 83

Quand dit-on d'un **marché** financier qu'il est **en banque**:

    A. lorsqu'il se déroule entre banques, hors banque lorsque les échanges ont lieu entre entreprises et particuliers à l'exclusion des institutions de crédit ?

    B. lorsque les émissions de bons de caisse sont effectuées auprès des banques, et hors banque lorsque les émissions sont effectuées en Bourse ?

    C. lorsque le public donne sa préférence à la monnaie fiduciaire (monnaie-billet) et hors banque quand il y a peu de demande de billets et que les banques ne s'adressent pas à la banque centrale ?

Question 84
Que décida-t-on à la *conférence de Gênes* en **1922**:
- A. que toutes les monnaies pouvaient être directement convertibles en or ?
- B. que les pays à forte réserve en or adopteraient un système d'étalon or ?
- C. que seule la livre sterling serait convertible en or ?

Question 85
Des trois **dévaluations** du franc français par rapport au deutsche Mark, quelle fut la **plus importante**:
- A. la dévaluation de 1981 ?
- B. la dévaluation de 1982 ?
- C. la dévaluation de 1983 ?

Question 86
Pourquoi les **banques américaines** ont-elles **peu de chance** d'être les **plus grandes** banques du monde:
- A. parce que les Américains ont un des taux d'épargne par habitant les plus faibles du monde ?
- B. parce que le marché américain est l'un des plus concurrentiels du monde ?
- C. parce que les grandes banques d'Etat américaines ne peuvent opérer dans un autre Etat des Etats-Unis et ne peuvent fusionner entre elles ?

Question 87

A quelle **date** est entré en vigueur le *Système monétaire européen*:

    A. le 05-12-1978 ?

    B. le 13-03-1979 ?

    C. le 22-03-1981 ?

Question 88

Quelle est la **particularité** quasi unique du **dinar irakien**:

    A. c'est une monnaie dont la valeur intrinsèque, liée à la quantité de métaux semi-précieux utilisée pour frapper la pièce, correspond à la valeur nominale de la pièce ?

    B. c'est l'une des rares monnaies nationales dont la subdivision n'est pas en centièmes (exemple: 100 centimes = 1 franc) ?

    C. c'est une des rares monnaies qui n'est pas convertible en d'autres monnaies ?

Question 89

Que représente le **15 août 1971** dans l'histoire du **dollar**:

    A. c'est à cette date que la masse d'eurodollars dans le reste du monde fut plus importante que la masse monétaire en dollars aux USA ?

    B. c'est à cette date que le dollar devint inconvertible en or ?

    C. c'est à cette date que le dollar représenta moins de 50% des réserves en devises au niveau mondial ?

Question 90

Quelle est l'une des **différences** majeures entre les *euro-notes* et les *euro-obligations*:

A. il n'y a pas de différence, les *euro-notes* étant le terme anglais pour les *euro-obligations* ?

B. les *euro-obligations* sont des obligations émises en eurodevises alors que les *euro-notes* sont des billets à ordre souscrits par des entreprises émettrices par l'intermédiaire d'une ou plusieurs banques auprès d'investisseurs divers ?

C. les *euro-notes* sont placées directement par l'entreprise émettrice auprès des acquéreurs au contraire des *euro-obligations* qui ne se placent que par l'intermédiaire d'un consortium bancaire ?

Question 91

Quelles étaient les **dispositions** de la **loi du 24 janvier 1984** en **matière bancaire** en France:

A. elle nationalisa les banques qui avaient un siège social en France et plus d'un milliard de francs en dépôt ?

B. elle visait à réglementer le rôle de la Banque de France ?

C. elle supprimait la distinction entre banques d'affaires et banques de dépôts ?

Question 92

Pour quelle raison les **Etats-Unis** purent-ils s'engager, en 1944, à **remettre** une **once d'or** à toute banque centrale lui **présentant 35 dollars**:

A. parce que la prééminence des Etats-Unis au niveau économique leur assurait que le dollar deviendrait lui-même une monnaie de réserve sans être pour autant changé en or ?

B. parce que les Etats-Unis ne se doutaient pas que la masse de dollars sur les marchés américains et sur les marchés du reste du monde rendrait tout contrôle de cette masse impossible ?

C. parce que les Etats-Unis possédaient, à la fin de la Deuxième Guerre mondiale, les 2/3 du stock d'or mondial ?

Question 93

Quelle **situation** caractérisait les Etats-Unis sur le plan **monétaire avant 1913**:

A. les billets de banque étaient émis en concurrence par près de 7 000 banques différentes ?

B. n'importe qui pouvait prendre le statut de banque et imprimer des dollars ?

C. jusqu'en 1913, le Trésor américain ne possédait aucun droit de contrôle sur la Federal Reserve ?

Question 94

Qu'est-ce qui **différencie,** aux Etats-Unis, une **banque nationale** et une **banque d'Etat**:

A. les banques nationales peuvent opérer n'importe où sur le territoire américain, ce qui n'est pas le cas des banques d'Etat ?

B. les banques nationales adhèrent de facto au Federal Reserve System, alors que l'adhésion au Federal Reserve System est facultative pour les banques d'Etat ?

C. le nombre de banque nationales est limité à 12, alors que le nombre de banques d'Etat atteint le chiffre 51 ?

Question 95

Qu'est-ce qui **différencie**, aux Etats-Unis, les **banques commerciales** des **établissements financiers**:

A. elles ne peuvent intervenir sur les marchés boursiers, alors que les établissements financiers le peuvent ?

B. elles ne peuvent recevoir de dépôts que dans un Etat alors que les établissements financiers peuvent recevoir des dépôts sur l'ensemble du pays ?

C. elles sont des banques privées ne faisant pas appel au dépôt mais à un financement par capital interne, alors que les établissements financiers peuvent faire appel aux dépôts ?

Question 96

Une **interdiction** est **assortie** à l'honneur de faire partie du groupe des **25 plus grandes banques américaines**; laquelle:

A. elles ne peuvent représenter plus de 10% du marché américain chacune ?

B. elles ne peuvent absorber une autre banque, fût-ce dans son propre Etat ?

C. elles ne peuvent fusionner entre elles ?

Question 97

Dans le monde bancaire, que représentent les "**quatre D**":

A. les quatres règles de placement et d'emprunt à respecter sur le marché des eurodollars ?

B. les "quatres D", Déficit, Dévaluation, Déflation, Dépréciation, sont au monde bancaire ce que sont les sept péchés capitaux pour les chrétiens ?

C. les quatre plus grandes banques ouest-allemandes ?

Question 98

Que sont les **"big four"**:

A. les quatre premières banques mondiales, toutes japonaises, la Daï-Ichi Kangyo Bank, la Sumitomo Bank, la Fuji Bank et la Mitsubishi Bank ?

B. les quatre plus grandes banques anglaises, la Midland Bank, la Lloyds Bank, la National Westminster Bank et la Barclays Bank ?

C. les quatre monnaies les plus importantes sur les marchés financiers: le dollar, la livre sterling, le yen et le deutsche Mark ?

Question 99

Quelle grande **banque française** fut à la base d'un **krach** au XIXe siècle:

A. l'Union Lyonnaise ?

B. l'Union Générale ?

C. le Crédit Lyonnais ?

Question 100

Quel est le type d'**établissement financier** le plus **répandu** en France:

A. les banques ?

B. les banques mutualistes ou coopératives ?

C. les caisses d'épargne et de prévoyance ?

Question 101

Une seule de ces **affirmations** concernant ces trois banques françaises: la Banque de Paris et des Pays-Bas, la Banque de l'Union Parisienne et la Banque Rothschild, est **correcte**; laquelle:

    A. elles ont toutes trois été nationalisées en 1945 ?

    B. ce sont trois banques d'affaires françaises ?

    C. elles n'ont jamais été nationalisées ?

Question 102

Quel est le contenu de la **loi de Gresham**:

    A. la mauvaise monnaie chasse la bonne monnaie ?

    B. la bonne monnaie chasse la mauvaise monnaie ?

    C. la vitesse de circulation de la monnaie est liée à la quantité de monnaie qui circule ?

Question 103

Un seul de ces trois pays a pratiqué le **bimétallisme or-argent** au cours du XIXe siècle; lequel:

    A. la France ?

    B. la Grande-Bretagne ?

    C. les Etats-Unis ?

Question 104

Une de ces trois explications n'est pas à l'**origine** du terme "**monnaie**"; laquelle:

    A. monnaie vient du latin "moneta", qui est le participe passé du verbe "moneo" signifiant avertir ?

    B. monnaie vient du latin "Moneta", qui était le surnom de Junon ?

    C. monnaie vient du latin "monile", qui signifie joyau, collier ?

Question 105

Qu'est-ce que le **cours forcé** d'une monnaie:

    A. c'est lorsque l'Etat prend la décision de refuser la convertibilité de sa monnaie en monnaie de réserve (historiquement l'or) ?

    B. c'est lorsque le taux de change de cette monnaie est surévalué et maintenu comme tel ?

    C. c'est lorsque la loi impose que la monnaie soit acceptée en paiement de toutes les dettes publiques et privées ?

Question 106

De ces trois types de billet, quel était celui qui fut l'une des **premières monnaies-billets**:

    A. les billets de Law ?

    B. les assignats français ?

    C. les greenbacks ?

Question 107

Comment ont été créés les **eurodollars** :

    A. ce sont les autorités monétaires soviétiques qui placèrent leur devise en dollars à la Banque commerciale d'Europe du Nord, laquelle les prêta sans les convertir ?

    B. ce sont les pays en voie de développement qui empruntèrent directement des dollars aux pays de l'OPEP ?

    C. c'est la France qui, après le refus des Etats-Unis de payer en or la contrepartie des dollars détenus, décida de prêter ses liquidités excédentaires sans les convertir au préalable ?

Question 108

Pour quelle raison l'**émission du dollar** resta fort **anarchique** jusque **1913**:

A. les États-Unis étant le pays de la concurrence par excellence, les autorités américaines et plus spécifiquement monétaires n'ont pas voulu imposer un système unique mais laisser émerger le plus solide ?

B. chaque Etat avait toute l'autorité requise pour imprimer sa propre monnaie ?

C. malgré les efforts des banquiers, la question monétaire divisa profondément les Etats-Unis. Les emprunteurs désirant une monnaie abondante s'attachèrent à la monnaie papier qui évidemment fut imprimée par un nombre incroyable de banques ?

Question 109

Qu'est-ce que le **LIBOR**:

A. c'est l'association des banques anglaises intervenant sur le marché des eurodollars ?

B. c'est le niveau de réserves que doivent absolument posséder les banques anglaises auprès de la Banque d'Angleterre ?

C. c'est un taux d'intérêt pratiqué entre certaines banques anglaises ?

Question 110

Qu'est-ce que les **comptes spéciaux du trésor** en France:

A. ce sont les comptes ouverts dans les écritures du Trésor pour recevoir en dépôt les avoirs extérieurs de certains instituts d'émission de la Zone franc ?

B. ce sont les comptes ouverts dans les écritures du Trésor pour retracer les opérations de recettes et de dépenses de l'Etat français faites en dehors du budget ?

C. ce sont les comptes ouverts dans les écritures du Trésor pour faire ressortir la différence entre le patrimoine d'ouverture et le patrimoine de clôture des biens appartenant à l'Etat français ?

Question 111

Que signifie le terme "*spot*" dans le langage bancaire:

A. c'est le taux d'intérêt à très court terme (1 jour) sur les différents marchés ?

B. c'est le cours d'une monnaie à l'instant où la demande d'information est faite ?

C. c'est un crédit temporaire accordé à un client.

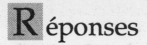éponses

Réponse 78

☞ **B.**

Le système bancaire américain ne ressemble guère, par exemple, au système bancaire français. Ainsi, il n'y a pas une seule banque centrale. Au sommet du système bancaire américain, se trouvent **12 grandes banques fédérales**, chacune établie dans un district et regroupée au sein du *Federal Reserve Board*. Ces banques fédérales de réserve ont les mêmes fonctions qu'une banque centrale normale et leur action est dépendante du conseil des gouverneurs qui siège dans la capitale fédérale.

Réponse 79

☞ **B.**

A la veille de la dénonciation des accords de Bretton Woods par le président Nixon, le **cours d'une once** d'or en dollars US était de **40 $ l'once**. Le taux de 35 $ l'once avait été choisi en 1944 comme taux de convertibilité du dollar en or, mais le marché libre de Londres effectua un ajustement à 40 $ l'once au cours de l'année 1960 pour permettre une meilleure correspondance avec la réalité économique américaine.

L'ampleur des ajustements qui succédèrent à la fin du sytème de Bretton Woods est considérable et, en 1980, le cours d'une once d'or atteignit un record de 843 $ l'once.

Réponse 80

☞ C.

Les **droits de tirage spéciaux** (DTS) forment un **instrument financier** du *Fonds monétaire international* (FMI). Ces DTS représentent une possibilité pour les pays membres du FMI d'obtenir un supplément de devises.

Si la quote-part d'un pays est de 2% du total des ressources du FMI et si l'on crée un milliard de dollars de DTS, ce pays disposera de 20 millions de dollars de tirage en plus de sa quote-part. Les pays membres du FMI doivent accepter les DTS et en fournir la contrepartie.

Réponse 81

☞ B.

La marché du *call money* est le marché des **prêts interbancaires à court terme**. Chaque jour, les institutions publiques de crédit apportent leurs disponibilités et les prêtent aux autres institutions qui en ont besoin. Il existe une obligation pour les institutions d'être prêteur net à la fin de toute période de 3 mois. De manière générale, ce sont les instituts de réescompte et de garantie qui sont les emprunteurs dans ce système.

Réponse 82

☞ B.

Le **plus petit agrégat** de la masse monétaire (**M1**) est **composé** des **billets de banque**, de la **monnaie divisionnaire** et des **dépôts à vue** en francs.

Le concept d'agrégat monétaire a évolué depuis la réforme de 1986. Auparavant, les liquidités de l'économie étaient divisées en disponibilités monétaires et en placements liquides à court terme pouvant facilement être transformés en moyen de paiement. La réforme a effectué des regroupements en fonction des critères utiles à l'analyse monétaire. Outre M1 déjà évoqué, nous avons **M2**, composé des billets de banque, de la monnaie divisionnaire, des dépôts à vue en francs et des comptes sur livrets; vient ensuite **M3**, qui se définit par rapport à M2, auquel on ajoute les avoirs en devises étrangères, les placements à terme et les titres du marché monétaire, et, enfin, **L** qui en plus se compose de l'épargne contractuelle et d'autres titres du marché monétaire.

Réponse 83

☞ C.

Le marché est en banque lorsque le **public** donne sa **préférence à la monnaie fiduciaire** (billets) et hors banque quand il y a peu de demande de billets de sorte que les banques ne s'adressent pas à la banque centrale pour la création de monnaie. La **distinction** porte donc sur la **création ou non de monnaie fiduciaire par la banque centrale**.

Réponse 84

☞ B.

A la *conférence de Gênes* (1922), deux décisions importantes furent prises:

- Les **pays à fortes réserves en or** adopteraient un système d'**étalon or**. En pratique, seuls la Grande-Bretagne et les Etats-Unis adoptèrent un tel système.
- Les **autres** pays étaient autorisés à **constituer** des

réserves de change non seulement **en or**, mais aussi **en devises** convertibles en or (£ et $).

Réponse 85

☞ A.

En **1981, le franc français a dévalué de 8,5 %** par rapport au **deutsche Mark,** en 1982 de 7% et en 1983 de 8%. Depuis ces 3 grandes dévaluations au cours desquelles seuls le deutsche Mark et le florin néerlandais réévaluèrent systématiquement par rapport aux autres monnaies, le Système monétaire européen n'a plus eu à affronter de grandes distorsions quant aux taux de change. Avant cette accalmie, il était évident que la crise provoquée par le deuxième choc pétrolier avait affecté différemment les économies européennes et que des ajustements, monétaires entre autres, étaient nécessaires.

Réponse 86

☞ C.

C'est parce que les **banques d'Etat américaines** (les plus grandes) **ne peuvent opérer sur un autre Etat** que celui sur lequel elles sont implantées, qu'elles n'ont pas la possibilité de s'accroître considérablement. Leur marché est de ce fait nettement plus restreint.

Cet état de fait remonte au début de l'histoire des Etats-Unis, où chaque Etat craignait de voir son pouvoir lui échapper.

L'**évolution** actuelle semble aller vers un décloisonnement puisque la *Chase Manhattan* de **New York** a été **autorisée à racheter deux caisses d'épargne de l'Ohio.**

On constate ainsi que les sept plus grandes banques du monde sont japonaises, la huitième étant le Crédit Agricole français. La première banque américaine, la Citi-corp, est onzième. Les Japonais sont eux-mêmes connus comme les plus grands épargnants du système écono-mique mondial. La part de l'épargne par rapport au pro-duit intérieur brut est de 18% au Japon pour 3,7% aux Etats-Unis (OCDE 88).

Réponse 87

☞ B.

Le *Système monétaire européen* (SME) a été approuvé en 1978 et est entré en **vigueur** le **13 mars 1979**. Le 22 mars 1981 est l'une des dates à laquelle eut lieu un réajustement des parités monétaires au sein de l'ECU.

Dans les faits, **8 monnaies** seulement font partie de ce système: la couronne danoise, le deutsche Mark, le flo-rin néerlandais, le franc belgo-luxembourgeois, le franc français, la lire italienne et la livre irlandaise et, depuis octobre 1990, la livre sterling. Il se caractérise par la création de l'ECU (*European Currency Unit*), la mise en place d'un mécanisme de change et d'intervention et la mise en place de divers mécanismes de crédit en faveur des pays qui éprouveraient des difficultés en matière de balance des paiements.

Au 21-09-1989, le poids respectif des différentes mon-naies au sein de l'Ecu était le suivant:

- Livre irlandaise   1,1%
- Livre anglaise   13%
- Couronne danoise   2,45%
- Franc belge   7,9%
- Lire italienne   10,15%
- Florin néerlandais   9,4%
- Franc français   19%
- Deutsche Mark   30,1%

- Drachme grecque   0,8%
- Peseta espagnole   5,3%
- Escudo portugais   0,8%

Réponse 88

☞ B.

Le **dinar irakien** est, avec le **ouguiya mauritanien** et le **dinar yéménite**, la seule monnaie dont **la subdivision ne se fait pas en centièmes**. Un dinar irakien vaut 5 rials, 1 ouguiya mauritanien vaut 5 khoums et, le dinar yéménite se subdivise en 1 000 fils. Toutes les autres monnaies mondiales officielles et nationales se subdivisent en centièmes.

Réponse 89

☞ B.

Le **15 août 1971**, le président *Nixon* prononca l'**inconvertibilité du dollar en or** et par conséquent la fin des accords de Bretton Woods datant de juillet 1944.
Le dollar, y compris l'eurodollar, représente toujours plus de 50% des réserves en devises dans le monde. En 1967, cette part s'élevait à 81,2%, en 1977 à 81%, et en 1987 à 67%.

Réponse 90

☞ B.

Les *euro-obligations* sont des **obligations** émises **en eurodevises** alors que les *euro-notes* sont des **billets à ordre** souscrits par des entreprises émettrices auprès d'investisseurs divers par l'intermédiaire d'une ou plusieurs banques. Les banques s'engagent par ailleurs à acquérir les euro-notes qui n'auraient pas trouvé acquéreur.

Le marché des euro-obligations n'est fréquenté que par les gros acteurs économiques (banques, grandes entreprises, multinationales) étant donné que le montant unitaire minimum pour une opération est de 500 000 $.

Les *"euro-commercial papers"* sont placés directement par l'entreprise émettrice auprès des acquéreurs, sans l'engagement d'une ou plusieurs banques.

Réponse 91

☞ C.

La loi du 24 janvier 1984 abolit la distinction définie en 1945 entre banque d'affaires et banque de dépôts. Cette loi visait à fournir un cadre réglementaire pour les activités financières et bancaires mais ne touchait pas aux prérogatives de la Banque de France.

Réponse 92

☞ A, B, C.

Les trois arguments sont tout à fait valables. En effet, pour se permettre de déclarer sa monnaie nationale convertible en or, il faut au moins **trois conditions**:

- avoir beaucoup d'**or** dans ses coffres;
- avoir un système économique puissant qui se reflète dans une **monnaie puissante** et qui devient elle-même réserve en devises;
- pouvoir **contrôler** l'expansion de la masse monétaire.

Réponse 93

☞ A.

Avant la réforme de 1913, l'**émission de billets de banque** aux Etats-Unis se faisait en **concurrence**. Pas moins de 7 000 banques nationales pouvaient donc émettre des billets qui rencontraient ceux émis par le Trésor américain. A partir de cette date, les banques émettrices passent par une subordination grandissante à une banque principale. Ce n'est qu'en **1913** qu'est créé le "*Federal Reserve System*", auquel toutes les banques nationales doivent adhérer, et aux termes duquel elles doivent déposer à la banque fédérale une partie de leurs dépôts à vue. Ce système fut conçu dans le souci d'éviter que les banques dont les encaisses étaient trop faibles ne fassent banqueroute lors des crises monétaires telles que celle de 1907.

Réponse 94

☞ B.

Les **banques nationales** adhèrent de facto au *Federal Reserve System* et sont soumises au contrôle du Secrétariat au Trésor et au *Federal Reserve Board*. L'adhésion au Federal Reserve System est facultative **pour les banques d'Etat**. Il n'y a que 12 banques fédérales de réserves appartenant toutes au *Federal Reserve Board* sur le territoire des Etats-Unis. Par contre, on compte plus de 1 000 banques d'Etat sur le même territoire, et plus de 4 800 banques nationales.

Réponse 95

☞ A.

Les **banques commerciales américaines ne peuvent intervenir sur les marchés boursiers**, alors que les établissements financiers le peuvent. Cete réglementation découle de la période sombre de la crise de 1929, où les engagements boursiers excessifs des banques laissèrent de très mauvais souvenirs. Les banques commerciales peuvent recevoir des dépôts et les gérer. Par contre, les établissements financiers ne peuvent en recevoir.

Réponse 96

☞ C.

Une restriction importante existe pour les 25 plus **grandes banques américaines** dans la mesure où elles **ne peuvent fusionner entre elles**. De plus, les plus grandes banques américaines **ne peuvent représenter chacune plus de 5% du marché intérieur**. Ajoutons à cela les contraintes liées au fait qu'elles ne peuvent opérer en dehors de leur propre Etat et on comprend aisément pourquoi la première banque américaine, la Citicorp, est seulement la onzième banque mondiale. Le faible taux d'épargne des Américains, qui pourrait être une explication plausible à ce phénomène, trouverait une compensation dans la taille du marché américain et dans le niveau du revenu de la population.

Réponse 97

☞ C.

Les **"quatre D"** correspondent aux noms des grandes banques ouest-allemandes qui furent créées au XIXe siècle et qui sont toujours connues sous ce nom aujourd'hui, à savoir, la *Deutsche Bank* (18e mondiale), la *Diskontogesselschaft Bank*, la *Dresdner Bank* (28e mondiale) et la *Darmastaeder* (Danat) *Bank*.

Réponse 98

☞ B.

Les **"big four"** étaient avant les "big five". Ce sont les 4 plus grandes banques anglaises: la *Midland Bank* (44e mondiale), la *Lloyds Bank* (48e), la *National Westmins-*

ter Bank (21ᵉ) et la *Barclays Bank* (17ᵉ) (données au 31-12-89). La Westminster Bank a fusionné avec la National Provincial pour former la National Westminster Bank.

Réponse 99
☞ B.

L'*Union Générale*, fondée en 1878, reste célèbre dans l'histoire économique française car elle a provoqué la faillite d'un grand nombre d'industriels, en particulier dans la région lyonnaise. Ce sont les **interférences de crédits** qui ont provoqué ce **krach**. Cet événement marquant a amené les banques à **dissocier** les opérations de **crédit à court terme** et à **long terme**.

Réponse 100
☞ C.

Conformément à l'article 18 de la loi bancaire, les **établissements de crédit** sont classés en six catégories:

- les sociétés financières (1.010)❖;
- les caisses d'épargne et de prévoyance (430);
- les banques (357);
- les banques mutualistes ou coopératives (194);
- les institutions financières spécialisées (30);
- les caisses de crédit municipal (21).

❖ Les nombres entre parenthèses représentent le nombre total d'établissements de ce type en France.

Réponse 101
☞ B.

La *Banque de Paris et des Pays-Bas*, la *Banque de l'Union parisienne* et la *Banque Rothschild* sont toutes

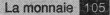

trois des **banques d'affaires**. En 1945, la Banque de Paris et des Pays-Bas ainsi que la Banque de l'Union Parisienne firent l'objet de la surveillance d'un commissaire du gouvernement mais ne furent pas nationalisées. Par contre, la loi du 2 janvier 1981 les nationalisèrent toutes les trois.

Réponse 102

☞ A.

La **loi de Gresham** stipule que **la mauvaise monnaie chasse la bonne monnaie**. Ceci signifie que si deux monnaies circulent dans une économie, celle qui est la plus appréciée ne circulera plus et servira de réserves alors que l'autre monnaie servira de monnaie d'échange. D'autres avant Gresham avaient déjà formulé cette proposition, que ce soit Aristophane, dans sa fable sur les grenouilles, ou Copernic.

Réponse 103

☞ A.

La **France au XVIIIe siècle** utilisait encore le système du **monométallisme argent** qui servait d'étalon. Les lois des 28 mars et 6 avril 1803 instituèrent le bimétallisme or-argent. En Angleterre et aux Etats-Unis, c'est l'or qui servit d'étalon. L'**Angleterre** consacra le **monométallisme or** en **1816** et les **Etats-Unis** en **1853** faisant suite à une évolution qui les amena du bimétallisme (XVIIIe siècle) au monométallisme or. L'abondance de l'argent provoqua l'émergence de l'or en tant qu'étalon.

Réponse 104

☞ C.

Le terme latin "monile" n'est pas à l'origine du mot

"monnaie". *Moneta* était le **surnom de *Junon*** qui était la déesse avertie de tous les événements. Elle avait notamment averti les Romains d'un tremblement de terre (lien avec moneta: avertie). C'est parce qu'elle était la **déesse la plus sage** que l'on frappa la monnaie en son temple, et de ce fait "moneta" signifia également par la suite "monnaie".

Réponse 105

☞ A.

Le cours d'une monnaie est forcé lorsque l'Etat prend la décision de refuser la convertibilité de sa monnaie en monnaie de réserve (historiquement l'or). Le cours forcé est une notion historique qui n'a aujourd'hui plus la même pertinence.

L'une des premières impositions d'un cours forcé eut lieu en 1797. La Banque d'Angleterre supprima, en effet, le paiement de la livre sterling en or en raison du début des hostilités avec l'Empire (français). Elle le fit notamment pour empêcher de voir le stock d'or anglais se réduire au profit de détenteurs non anglais de livres sterling (les Français...). De cette manière, elle tentait d'empêcher les Anglais eux-mêmes de se défier de leur propre monnaie, ce qui aurait eu pour conséquence l'échange de livres sterling contre de l'or (d'autant plus que le sort des armes n'était pas spécialement en faveur des insulaires). Cette décision fut très mal acceptée car elle signifie en général: "Vous avez intérêt à avoir confiance en cette monnaie autrement je vous impose cette confiance."

Le cours d'une monnaie est légal lorsque la loi impose qu'elle soit **acceptée en paiement de toutes les dettes publiques et privées**.

Réponse 106

☞ **A.**

Les **billets de Law** eurent une vie courte (1717-1719) mais furent la première application véritable du billet de banque. Il n'y en avait pas encore mais *Law* se dit que le crédit pouvait donner lieu à ce type de création. Sa banque donna donc en échange de dépôt de monnaie métallique des **billets** qui pouvaient s'échanger contre des marchandises. Cette expérience menée de manière trop hasardeuse, fut un échec qui marqua la France et installa une méfiance profonde à l'égard de la monnaie papier.

Les **greenbacks** furent créés par les Etats-Unis au cours de la Guerre de Sécession (1861-1865).

Réponse 107

☞ **A.**

Ce sont les **autorités soviétiques** qui, paradoxalement, provoquèrent la **création des eurodollars**. L'idée est simple. Plutôt que de renvoyer sur les marchés américains les **dollars** très abondants dans les économies européennes, il est plus simple de les **prêter directement et sans conversion** à ceux qui le désirent. Le marché des eurodollars est notamment nourri par les "pétrodollars" des pays pétroliers qui placent de préférence leurs ressources dans les pays européens. Le marché des eurodollars se développa alors dans des proportions énormes au point qu'il y eut autant de dollars en circulation ou prêtés en dehors des Etats-Unis qu'aux Etats-Unis eux-mêmes.

Réponse 108

☞ C.

La **question monétaire** est restée très longtemps un **motif de division aux Etats-Unis.** Les uns (banquiers, commerçants, armateurs du Nord-Est) préféraient un système de contrôle de l'émission de monnaie qui leur aurait rapporté de gros taux d'intérêt, les autres (planteurs, fermiers) voulaient des liquidités et même appréciaient l'inflation qui leur permettaient d'alléger le poids de leurs dettes. Le besoin de liquidités était tel que **les institutions financières émettant de la monnaie papier souvent mal gagée, étaient plusieurs centaines.** Des combats politiques acharnés permirent d'instaurer d'abord le monométallisme or et enfin le *Federal Reserve System* en 1913. Ceci permit de mettre un peu d'ordre dans cette gabegie financière. Le système bancaire américain est cependant, encore aujourd'hui, loin du système de nos banques centrales uniques.

Réponse 109

☞ C.

Le *London InterBank Offered Rate* (LIBOR) est le **taux d'intérêt** pratiqué sur le marché de Londres par les banques de premier ordre pour **rémunérer** leurs **dépôts réciproques.**

Réponse 110

☞ B.

Les **comptes spéciaux du Trésor** sont les comptes ouverts dans les écritures du Trésor pour retracer les opérations de recettes et de dépenses de l'Etat français faites en dehors du budget. Il y a quatre types de comptes spéciaux du Trésor:

- les comptes d'affectations spéciales.
- les comptes de commerce.
- les comptes monétaires.
- les comptes d'avances et les comptes de prêts.

Réponse 111

☞ C.

Le terme *spot* est utilisé par les banquiers pour désigner un **crédit à court terme** (de un à trois mois) accordé à un client, à titre exceptionnel, pour lui permettre de faire face à des besoins momentanés. On pourrait le traduire par **"crédit ponctuel"**. Inutile de préciser que le taux d'intérêt pour ce type de crédit est assez élevé par rapport aux taux normaux sur les marchés.

4

Traités et organismes internationaux

Question 112

Combien de pays participèrent à la *conférence de Bretton Woods* en 1944:

    A. 7 ?

    B. 22 ?

    C. 44 ?

Question 113

Que signifient les initiales *BIRD*:

    A. Banque internationale de reconstruction et de développement ?

    B. Banque internationale des règlements différés ?

    C. Bureau international de recouvrement de dettes ?

Question 114

Par quels accords la *Banque européenne d'investissement* a-t-elle été créée:

    A. par le traité de Rome du 25 mars 1957 ?

    B. par les accords de La Haye de 1930 ?

    C. par les accords créant l'Organisation européenne de coopération économique (OECE) de 1948 ?

Question 115

Par quels accords sont régies les **relations** commerciales **entre** les pays de la *CEE* et les *pays ACP*:

    A. par la convention de Lomé ?

    B. par les accords du GATT ?

    C. par le Dillon Round ?

Question 116

Quel organisme dépendant de l'ONU a le **commerce** et le **développement** dans ses attributions:

    A. la CNUCED ?

    B. la FAO ?

    C. l'OCDE ?

Question 117

Où ont été signés les *accords du GATT* (General Agreement on Tariffs and Trade):

    A. à Genève, le 30 octobre 1947 ?

    B. à Bretton Woods, le 22 juillet 1944 ?

    C. lors de la création de l'ONU, le 26 juin 1945 ?

Question 118

Une de ces affirmations concernant la *CECA* est vraie; laquelle:

    A. la création de la CECA représente le premier accord économique de l'après-guerre entre la France et l'Italie ?

    B. la création de la CECA correspond au premier renoncement de souveraineté des pays européens ?

    C. la mise en œuvre des accords constituant la CECA marque le prélèvement du premier impôt européen ?

Question 119

Quelle est la **différence** majeure entre l'*AELE* et la *CEE*:

A. alors que la CEE vise à l'abolition des droits de douane au sein de la Communauté européenne, ce n'est pas le cas de l'AELE ?

B. l'AELE vise à abolir les droits de douane alors que l'objectif de la CEE est plus large et vise l'intégration économique ?

C. les douzes pays de la CEE sont tous membres de l'AELE ?

Question 120

De ces trois traités, quel est celui qui n'est **pas à la base** de la **fondation** de l'**Europe actuelle**:

A. le traité CECA (Communauté européenne du charbon et de l'acier) ?

B. le traité EURATOM (Europe atomique) ?

C. le traité EFTA (European Free Trade Association) ?

Question 121

Quels étaient les objectifs économiques de la *convention de Yaoundé*:

A. elle visait à diminuer les droits de douane et autres obstacles réglementaires et tarifaires entre une vingtaine de pays principalement africains ?

B. elle visait à promouvoir les échanges entre l'AELE et les 18 pays membres ?

C. elle visait à promouvoir les échanges entre les 18 pays africains et malgaches et les pays membres de la CEE ?

Question 122

Quel **système de change européen** a immédiatement succédé à celui de Bretton Woods:

A. aucun, il n'y avait plus d'accord monétaire en Europe suite à la dénonciation unilatérale des accords de Bretton Woods par les Etats-Unis ?

B. le Serpent monétaire européen qui préexistait et fut maintenu après la fin de Bretton Woods ?

C. le Serpent monétaire européen qui fut créé en avril 1972 ?

Question 123

Quel fut l'un des principaux acquis de la *conférence de New Delhi* en 1968:

A. l'abaissement des barrières douanières de la CEE pour les 46 pays ACP (Afrique, Caraïbes, Pacifique) ?

B. l'obtention par les pays ACP de la clause de la nation la plus favorisée dans les échanges avec la CEE ?

C. la résolution sur le montant de l'aide (1% du PNB des pays les plus développés est destiné aux pays en voie de développement (PVD)) ?

Question 124

Sous quels autres sigle et appellation est connu le *COMECON*:

A. le Conseil d'assistance économique mutuel (CAEM) ?

B. la Convention économique des pays socialistes (CEPS) ?

C. la Communauté économique d'assistance et de développement (CEAD) ?

Question 125

Quels sont les signataires de la **convention de Lomé**:

A. les pays ACP (Afrique Caraïbes, Pacifique) et les pays de la CEE ?

B. les pays de l'Organisation de l'unité africaine (OUA) et la CEE ?

C. les pays ACP, les pays de l'Association européenne de libre-échange (AELE) et de la CEE ?

Question 126

Quel est le lien entre le Fonds européen de coopération monétaire (**FECOM**) et l'European Currency Unit (**ECU**):

A. le FECOM est l'institution à laquelle devrait revenir le droit d'impression de l'ECU ?

B. le FECOM est détenteur des réserves existantes d'ECU ?

C. le FECOM reçoit 20% des réserves de change des pays européens et les crédite en échange d'ECU ?

Question 127

Quelle association avait pour but de promouvoir une **politique protectionniste** commune des pays membres dans les relations communes avec les pays extérieurs:

A. la CARICOM (Caribbean Community) ?

B. le Pacte andin ?

C. l'OCDE ?

Question 128

Parmi ces trois organisations, quelle est celle **qui ne prête qu'aux Etats**:

A. la BID (Banque interaméricaine de développement) ?

B. la BIRD (Banque internationale de reconstruction et de développement) ?

C. le FMI (Fonds monétaire international) ?

Question 129

Quel **lien** existe-t-il entre la *Banque mondiale* et la *Banque internationale de reconstruction et de développement*:

A. ce sont les deux noms d'une même institution ?

B. la Banque mondiale est une des trois institutions créées au sein de la BIRD ?

C. la BIRD est une des trois institutions créées au sein de la Banque mondiale ?

Question 130

Quel est le **système de représentation** employé au sein du *FMI*:

A. seuls les membres du conseil permanent de l'ONU font partie du conseil d'administration du FMI qui est donc dominé par les pays occidentaux ?

B. comme dans toutes organisations onusiennes, la représentation se fait selon le principe: un pays - une voix ?

C. le nombre de voix au conseil d'administration du FMI est lié à la quote-part du pays au capital du FMI ?

Question 131

A quand remonte la signature du *traité Benelux*, premier traité d'union économique de l'Europe d'après-guerre:

    A. en 1939, mais l'accord entre la Belgique, les Pays-Bas et le Luxembourg ne put voir le jour qu'après les hostilités ?

    B. en 1943, signé à Londres, l'accord entre la Belgique, les Pays-Bas et le Luxembourg fut mis en application à la fin de la Seconde Guerre mondiale ?

    C. en 1946, un an après la fin de la guerre, la Belgique, les Pays-Bas et le Luxembourg décident d'éliminer les barrières douanières entre les 3 pays ?

Question 132

De ces trois organismes, quel est celui qui a pour **mission** de contribuer à **corriger les déséquilibres régionaux** en Europe:

    A. le FEDER ?

    B. le FED ?

    C. le FSE ?

Question 133

Quelle est l'origine de l'*Organisation de coopération et de développement économique* (*OCDE*):

    A. l'OCDE succéda à l'Organisation européenne de coopération économique ?

    B. la création de l'OCDE est la conséquence de la mise en œuvre des accords formant l'Association européenne de libre-échange ?

C. l'OCDE a été créée en tant que département européen de la Conférence des Nations unies sur le commerce et le développement ?

Question 134

Qu'est-ce que le système *STABEX* dont bénéficient un certain nombre de pays en voie de développement:

A. c'est le système de garantie de prix fixes à l'exportation des produits en provenance des PVD vers la CEE ?

B. c'est le système permettant de compenser les chutes des cours de certains produits agricoles exportés par certains PVD, par un transfert financier transitoire remboursé lorsque les cours remontent ?

C. c'est le système qui permet à un pays de la CEE de pratiquer des exportations vers les PVD en l'assurant contre le non-paiement du débiteur qui serait en défaut de paiement ?

Question 135

Un seul de ces trois organismes n'a pas pour objectif la **constitution** d'un **marché commun**; lequel:

A. l'Association latino-américaine d'intégration (ALADI) ?

B. le Pacte andin ?

C. l'Organisation des Etats centraméricains (ODECA) ?

Question 136

Que représente la *Zone franc*:

A. l'ensemble des pays européens dont la monnaie est le franc (Belgique, France, Luxembourg,

Suisse) et qui ont été, entre 1934 et 1939, liés par des accords de parité fixe entre leur monnaie ?

B. l'ensemble des pays africains et des anciennes colonies françaises qui ont lié leur monnaie nationale au franc français par un taux de change fixe ?

C. l'ensemble des pays dans le monde qui avaient le franc français comme monnaie commune jusqu'à la décolonisation ?

Question 137

Quelle est la **différence** entre l'*OPEP* et l'*OPAEP* :

A. l'OPAEP est une sous-branche de l'OPEP constituée uniquement des pays arabes ?

B. l'OPAEP est un organisme similaire à celui de l'OPEP mais dont les pays membres ne sont pas tous membres de l'OPEP ?

C. l'OPAEP est une organisation qui n'a rien à voir avec l'OPEP et dont le sigle signifie Organisation des producteurs d'aliments pour éle vage protégé ?

Question 138

De ces trois organisations, quelle est celle dont la **mission** était l'**intégration économique** dans la région Asie-Pacifique :

A. Association of Southeast Asian Nations (ASEAN) ?

B. Conseil du Pacifique ou ANZUS ?

C. Organisation du traité de l'Asie du Sud-Est. (OTASE) ?

Question 139

Quelle **différence** existe-t-il entre les prêts octroyés par le *Fonds monétaire international* (FMI) et ceux octroyés par l'*Association internationale de développement* (AID):

    A. les prêts de l'AID sont à long terme alors que ceux du FMI sont à court terme ?

    B. les prêts de l'AID sont à long terme et à des taux très avantageux (0,75%) alors que ceux du FMI sont à court terme et à des taux voisins de ceux des marchés financiers ?

    C. les prêts de l'AID se font soit aux Etats soit directement pour des projets de développement alors que les prêts du FMI se font uniquement aux Etats membres ?

Question 140

A la suite de quel événement a été créé le *COMECON*:

    A. à la suite du refus de l'URSS et des pays du bloc de l'Est de bénéficier du plan Marshall ?

    B. à la suite de la création en 1956 du Marché Commun ?

    C. dans la foulée du Pacte de Varsovie en 1955 ?

Question 141

Avant sa dissolution, lequel de ces trois pays ne faisait pas partie du *COMECON*:

    A. l'Albanie ?

    B. le Viêt-nam ?

    C. la Mongolie.

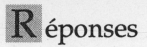

Réponses

Réponse 112

☞ C.

La **conférence de Bretton Woods**, qui eut lieu en juillet 1944, a réuni 44 pays.

L'Union soviétique, sollicitée, ne fut pas présente à la conférence elle-même. Certaines sources font mention de 45 pays participants.

Réponse 113

☞ A.

La *Banque internationale de reconstruction et de développement* fut créée en 1944 lors de la conférence de Bretton Woods pour pallier les insuffisances du FMI. Son **rôle** essentiel est de **fournir des capitaux d'investissement** à des taux et conditions générales moins contraignants que ceux du marché, aux pays en voie de reconstruction ou de développement.

Réponse 114

☞ A.

La *Banque européenne d'investissement* (BEI) fut prévue par le Traité de Rome en 1957 et réellement **créée en 1958**.

Le rôle de la BEI est le **financement à long terme** des **investissements** contribuant à mettre en valeur les **régions** les plus **défavorisées** au sein de la CEE. Son siège est situé à Luxembourg.

Réponse 115

☞ A.

Le 28 février **1975** fut signée la première *convention de Lomé* qui, pour une durée de 5 ans, donnait un cadre aux **échanges commerciaux** entre les *pays* de la *CEE* et 46 *pays* de l'**Afrique, des Caraïbes et du Pacifique** (*ACP*). Une deuxième convention fut signée en 1979 portant sur les année 80-85, à laquelle participaient 10 pays du Nord et 63 pays du Sud. L'objet de la convention porte essentiellement sur l'ouverture du marché de la CEE aux produits industriels et agricoles de ces pays défavorisés. La convention se renégocie périodiquement.

Réponse 116

☞ A.

C'est la *CNUCED* (Conférence des Nations unies sur le commerce et le développement) qui a le commerce et le développement dans ses attributions. Elle a été créée en 1964 et son siège est situé à Genève. Ses **buts** principaux sont l'**accroissement des échanges** entre les **PVD** eux-mêmes et avec les **pays industrialisés**, mais aussi la stabilisation du cours des produits de base et la diminution des obstacles douaniers et tarifaires.

Réponse 117

☞ A.

L'*accord général sur les tarifs douaniers* (GATT) a été signé le 30 octobre 1947 par 23 pays. Aujourd'hui, le GATT compte plus de 92 parties contractantes et 31 Etats "observateurs". Cet accord porte avant tout sur l'octroi de la **clause de la nation la plus favorisée** à tous les pays contractants, sur l'**abandon** des **restrictions quantitatives** et sur l'engagement d'orienter les **tarifs douaniers à la baisse** grâce à la négociation.

Réponse 118

☞B. & C.

Le premier accord économique d'après-guerre entre l'Italie et la France fut un traité d'union douanière signé en 1949. Par contre, la signature des accords créant la *Communauté européenne du charbon et de l'acier* (CECA) marque le **premier renoncement de souveraineté** de six pays européens ainsi que le **premier impôt européen**. Cependant et avant toute autre considération, la création de la CECA marquait la naissance du premier marché commun du charbon et de l'acier.

Réponse 119

☞ B.

Alors que l'*Association européenne de libre-échange* (AELE) vise à une **abolition des droits de douane** et autres obstacles tarifaires, la *CEE* vise à l'**intégration économique** des membres de la Communauté. L'AELE fut créée en 1959 à l'instigation de l'Angleterre et regroupait à l'origine 6 pays: la Grande-Bretagne, la Suède, la Suisse, l'Autriche, le Danemark et le Portugal. L'Autriche, la Finlande et l'Islande se sont jointes à l'AELE par la suite, tandis que la Grande-Bretagne, le Portugal et le Danemark rejoignaient la CEE. La CEE n'est pas membre de l'AELE mais des accords économiques unissent les deux associations.

Réponse 120

☞ C.

Le **traité** *EFTA*, ou en français AELE (Association européenne de libre-échange), est signé à Stockholm en 1959. Ce traité a pour objectif l'**abolition des droits de douane** et des **obstacles tarifaires** dans un cadre européen le plus large possible. L'AELE ne compte plus que 6 pays membres puisque le Portugal, l'Angleterre et le Danemark (membres fondateurs) ont quitté l'AELE pour rejoindre la CEE.

Réponse 121

☞ C.

En 1963, **18 Etats indépendants** africains et malgaches rejoignaient la Grèce et la Turquie en signant un accord de coopération économique avec les pays membres de la CEE. De chaque côté, on s'est engagé à diminuer les droits de douanes et les restrictions quantitatives.

Réponse 122

☞ B.

Le *Serpent monétaire* était en gestation dans les *accords du Smithsonian Institute* en décembre 1971 qui prévoyaient des marges de fluctuation de 2,25% par rapport au dollar. Mais ce n'est qu'en avril 1972 que les pays européens décidèrent de fixer à 2,25% les marges de fluctuation entre la monnaie communautaire la plus appréciée et la monnaie communautaire la moins appréciée, l'écart maximum de chaque monnaie européenne par rapport au dollar étant toujours de 2,25%. Le système, devenu trop contraignant, vit la Grande-Bretagne et l'Italie renoncer aux interventions sur les marchés des changes. En mars 1973, l'ensemble des pays de la CEE renoncèrent aux interventions en vue de soutenir le dollar. En janvier 1974, la France quitta le Serpent monétaire.

Réponse 123

☞ C.

C'est à **New Delhi**, en 1968, qu'une résolution concernant le **montant de l'aide aux PVD en termes de PNB** fut adoptée. Cette négociation fut préparée lors de la conférence d'Alger en 1967. Outre le montant d'1% du PNB destiné à l'aide aux PVD, deux autres résolutions majeures voient le jour. D'une part, apparaît l'instauration d'un système généralisé des préférences. En l'occurrence, les PVD bénéficient dès 1968 d'une réduction des droits douaniers pour quelques produits spécifiques. D'autre part, un accord sur les produits primaires est négocié de manière à réduire les risques liés aux fluctuations des cours de ces produits.

Réponse 124

☞ A.

Le *COMECON* est également connu sous le sigle *CAEM* ou **Conseil d'assistance économique mutuel**. Les objectifs de ce "marché commun de l'Est" se définissent progressivement. En 1949, on parle d'échanges d'expérience et commerciaux; en 1961, le COMECON doit contribuer au développement économique des pays membres; en 1962, l'objectif se transforme et propose l'égalisation des niveaux de développement au sein de l'organisation; en 1975 enfin, le COMECON se voit attribuer un rôle d'intégration économique à l'instar de ce qui se fait au sein de la CEE.

Aujourd'hui, après que son rôle ait fait l'objet de nombreux commentaires, le *COMECON* a virtuellement **cessé d'exister** depuis février 1991.

Réponse 125

☞ A.

La première *convention de Lomé* fut signée en 1975 par les *pays d'Afrique, des Caraïbes et du Pacifique* (ACP), aujourd'hui au nombre de 66, et la *Communauté Européenne*. Cette première convention mettait en place un nouveau régime qui remplaçait celui qui prévalait avec les accords de Yaoundé (1963, 1969) et l'accord d'Arusha (1969).

La convention de Lomé instaure un système de **coopération entre** la *CEE* et les *pays ACP*. D'importantes concessions commerciales ont été octroyées aux pays ACP dans la mesure où 95,5% des exportations de produits en provenance de ces pays vers la CEE peuvent entrer sur le territoire communautaire en franchise, sans exigence de réciprocité.

Depuis la première convention de 1975, une seconde convention fut signée en 1979 et une troisième prorogeant et élargissant les accords de départ fut conclue en 1984. La renégociation de la convention qui eut lieu en 1989 et 1990 laissa les pays ACP sur leur faim dans la mesure où les facilités commerciales ont été réduites.

Réponse 126

☞ C.

Le *Fonds européen de coopération monétaire* (FECOM) est habilité à recevoir en dépôt 20% des réserves de change des pays membres et à **créditer ces pays en** *ECU*, qui serviront comme moyens de règlement entre les banques centrales.

Le FECOM fut créé en 1973 et possède son siège à Bâle (Suisse). Son objectif est de rétrécir progressivement les marges de fluctuation entre les monnaies communautaires sur les marchés de change.

Réponse 127

☞ A.

La **CARICOM** (Communauté des Caraïbes) fut fondée en 1973 avec pour objectif de pourvoir à l'établissement d'un **tarif extérieur commun** et d'une **politique protectionniste commune** dans les relations avec les pays extérieurs. Il y a 13 Etats membres dans cette association, dont le siège est situé à Georgetown (Guyane).

Réponse 128

☞ C.

Seul le **FMI** (Fonds monétaire international) ne prête qu'à des Etats. Le FMI fut créé en 1944 à la conférence de Bretton Woods. Son siège se trouve à Washington. L'organisation comptait, en 1989, 151 pays membres. Le **but** du FMI est de **promouvoir la coopération monétaire internationale et l'expansion du commerce**. Toutefois, depuis 1976 et la disparition des taux de change fixes, le FMI a principalement pour objectif de venir en aide aux Etats membres qui éprouvent des difficultés financières et ce, par le biais de prêts à court terme. Toutefois, ces prêts sont assortis d'une obligation de redressement économique, notamment par la compression de la masse salariale ou des dépenses publiques.

La **Banque interaméricaine de développement** (BID) fut créée en 1959 à Washington. Elle compte 44 pays membres, dont certains pays européens. Elle accorde des prêts tant aux Etats qu'à des organisations privées. Il en va de même pour la **Banque internationale de reconstruction et de développement** (BIRD).

Réponse 129

☞ C.

La *Banque mondiale* **regroupe** en son sein trois organisations: la *BIRD* (Banque internationale de reconstruction et de développement), la *SFI* (Société financière internationale) et l'*AID* (Association internationale de développement).

Alors que la SFI et l'AID furent respectivement créées en 1956 et 1960, la BIRD fut créée en 1944 lors de la conférence de Bretton Woods. C'est sa préexistence qui provoqua l'association erronée BIRD-Banque mondiale.

La *BIRD* a pour objet de **favoriser le développement économique** des pays en voie de développement (**PVD**) grâce à des **prêts à long terme** (15-20 ans) accordés **aux pays** mêmes ou à **des organisations autonomes**. Elle prête ainsi approximativement 15 milliards de dollars par an qui se répartissent entre 80 pays et sur quelque 350 opérations de développement. En 1990, 150 pays faisaient partie de la BIRD.

Réponse 130

☞ C.

Au conseil d'administration du *FMI*, le **nombre de voix** dont dispose chaque Etat membre est **fonction de sa quote-part au capital**. Il n'est dès lors pas étonnant de constater que la politique du Fonds soit résolument libérale. En effet, les principaux souscripteurs, à savoir: les Etats-Unis, le Royaume-Uni, la RFA, le Japon, la France et l'Italie, possèdent un siège permanent parmi les 22 sièges d'administrateur. Les autres sont élus par les autres pays membres, qui sont au nombre de 145.

Réponse 131

☞ B.

Le *traité Benelux* fut négocié et signé entre 1943 et 1944 à Londres par les gouvernements en exil des trois pays liés à l'accord: la **Belgique**, les **Pays-Bas** et le **Luxembourg**. L'accord fut confirmé à la fin de la Seconde Guerre mondiale et directement mis en œuvre. Le contenu du traité était avant tout une **union économique et douanière**. Ces trois pays formèrent le cœur des accords SECA et EURATOM, qui donnèrent le jour à la Communauté européenne. Ils regroupent aujourd'hui 25 millions d'habitants.

Réponse 132

☞ A.

Le *FEDER* (Fonds européen de développement régional) a pour mission de contribuer à la **correction des principaux déséquilibres régionaux au sein de la Communauté européenne** tels que le sous-emploi, les déséquilibres agricoles ou industriels. Il a été créé en 1975 et son siège est situé à Bruxelles.

Le *FED* (Fonds européen de développement) s'occupe de **promouvoir le développement économique et social** des pays liés par des accords à la CEE.

Le *FSE* (Fonds social européen) développe une **politique** sociale active en matière **d'emploi**.

Réponse 133

☞ A.

L'*Organisation de coopération et de développement économique* (OCDE) fut créée le 30 septembre 1961 à Paris. Elle a succédé à l'*Organisation européenne de coopération économique* (OECE) qui avait été créée en

1948 et réunissait 18 pays européens. L'OCDE se différencie de l' OECE par une **composition plus large**; 25
pays en font partie, dont des pays non européens (Etats-
Unis, Japon, Australie, Canada, Nouvelle-Zélande), et
par une modification des tâches qui se placent
aujourd'hui dans une perspective moins gestionnaire.
L'objet de l'OCDE est de **promouvoir une saine
expansion économique basée sur les lois du libéralisme**, au sein non seulement des pays membres mais
aussi des autres pays, notamment en améliorant les économies des pays en voie de développement.

Réponse 134
☞ B.

Le système *STABEX* (Stabilisation des recettes
d'exportation) fait partie intégrante de la convention de
Lomé. Il permet de **compenser les chutes des cours de
certains produits agricoles exportés** par les pays ACP
liés à la convention par un transfert financier transitoire
qui est remboursé lorsque les cours remontent.

Réponse 135
☞ C.

L'*Organisation des Etats Centraméricains* n'a pas pour
objectif la création d'un marché commun latino-améri-
cain mais bien l'**unité politique des pays membres** et
un rôle de négociation pour **régler les conflits**. Les
Etats membres de l'*ODECA* ont signé en 1960 un
accord constituant un **marché commun des pays centraméricains**: le *CACM* (Central American Common
Market).
Les pays membres du *Pacte andin*, dont l'objectif est la
constitution d'un **marché commun andin**, sont tous

membres de l'ALADI qui a le même objectif sur une échelle plus vaste.

• **Pacte andin**: Bolivie, Colombie, Equateur, Pérou, Venezuela; création: 1969.

• **ALADI**: les mêmes plus Argentine, Brésil, Chili, Mexique, Paraguay, Uruguay; création: 1980.

• **ODECA**: Costa Rica, Salvador, Guatemala, Honduras, Nicaragua; création: 1951.

Réponse 136

☞ B.

La *Zone franc* ou, autrement nommée, Conférence des ministres des Finances de la Zone franc, représente l'ensemble des pays africains (13) auxquels s'ajoutent Mayotte, Monaco et les Comores et qui ont **lié leur monnaie au franc français par un taux de change fixe**. Ces pays acceptent de détenir leurs réserves de change en francs français principalement et d'effectuer leurs échanges sur le marché boursier de Paris. La Zone franc a été constituée entre 1945 et 1946.

Réponse 137

☞ B.

L'*Organisation des pays arabes exportateurs de pétrole* (OPAEP) est un organisme dont l'objectif est de renforcer la coopération des membres dans les différentes branches de l'industrie pétrolière. Sept des membres de l'OPAEP font également partie de l'OPEP, ainsi que l'illustre le tableau ci-après:

OPEP	OPAEP
Arabie Saoudite	Arabie Saoudite
Iraq	Iraq
Iran	

Koweït	Koweït
Venezuela	
Qatar	Qatar
Libye	Libye
Indonésie	
Emirats Arabes Unis	Emirats Arabes Unis
Algérie	Algérie
Nigeria	Tunisie
Equateur	Syrie
Gabon	Bahrein

Réponse 138

☞ A.

L'*ASEAN* avait pour mission, à ses débuts, de promouvoir l'intégration économique des pays non communistes. Cette organisation, créée durant la guerre du Viêt-nam (1967), consacre depuis 1976 son énergie aux **problèmes politiques** afin d'accroître la sécurité dans cette région. Six pays en font partie: la Malaisie, les Philippines, la Thaïlande, l'Indonésie, Singapour et le Sultanat de Bruneï.

L'*ANZUS* est une organisation composée de l'Australie, de la Nouvelle-Zélande et des Etats-Unis, qui s'occupe de **problèmes de défense**. Il en va de même pour l'*OTASE*.

Réponse 139

☞ B.

Les **prêts** de l'*Association internationale de développement* (AID) se font à **long terme** (50 ans) et à des taux très avantageux (0,75%) alors que ceux du *Fonds monétaire international* (FMI) sont à **court terme** et à des taux voisins de ceux des marchés financiers. Les prêts de l'AID sont principalement destinés aux pays les plus pauvres de la planète.

Réponse 140

☞ A.

Après leur refus de bénéficer de l'aide liée au plan Marshall, les **pays du bloc de l'Est** décidèrent de fonder le *Conseil d'assistance économique mutuel* (CAEM) mieux connu sous le nom de *COMECON*. Ce conseil vit le jour dès 1949.

Réponse 141

☞ A.

L'Albanie ne faisait plus partie du *COMECON* alors qu'elle en était l'un des membres fondateurs; elle s'est retirée en 1961.

Faisaient partie du COMECON avant sa dissolution au début de l'année 1991: la Bulgarie, la Hongrie, la Pologne, la Roumanie, la Tchécoslovaquie et l'URSS, qui en sont les membres fondateurs (1949). Sont venus s'ajouter: la RDA (1950), la Mongolie (1962), Cuba (1972) et le Viêt-nam (1978).

5

Les produits de base

Question 142

Quelle est l'une des **caractéristiques** du **chrome**:

- A. c'est le seul minerai pour lequel l'Albanie est un des plus grands producteurs mondiaux ?
- B. c'est le minerai utilisé pour la fabrication de l'aluminium ?
- C. c'est un métal très peu résistant à l'usure mais très résistant aux hautes températures; il ne peut être utilisé seul, il faut le mélanger avec des aciers très résistants ?

Question 143

Dans quel pays est principalement produit le **café arabica**:

- A. au Brésil ?
- B. en Indonésie ?
- C. en Côte-d'Ivoire ?

Question 144

Comment se fait-il que la France ait **multiplié** ses **ressources halieutiques** (maritimes) à partir de 1982:

- A. elle a signé le 10 février 1982 un accord d'exploitation exclusive des eaux maritimes des îles Vanuatu dans le Pacifique ?
- B. elle a signé les accords internationaux déterminant les zones économiques maritimes exclusives, mieux connus sous le nom de la loi des 200 miles ?
- C. elle a obtenu, comme d'autres pays, un droit d'exploitation sur les ressources de l'Antarctique ?

Question 145

Pour quelle raison les réserves de **manganèse** sont-elles **difficilement exploitables**:

    A. le manganèse est principalement extrait des nodules polymétalliques déposés sur les fonds marins ?

    B. le manganèse se trouve dans une roche très dure que l'on trouve en petite quantité, principalement dans les montagnes Rocheuses aux USA ?

    C. selon les observations par satellite, les réserves de manganèse se trouvent en pleine Amazonie dans des zones non encore exploitées ?

Question 146

Quelle était l'une des particularités de l'**approvisionnement en diamant**:

    A. jusqu'au XVIIIe siècle, les diamants provenaient uniquement de l'Inde ?

    B. c'est l'un des rares marchés qui soit resté monopolistique jusqu'au début du XXe siècle. La firme De Beers était la détentrice de ce monopole ?

    C. jusqu'à la découverte des gisements brésiliens, seul le continent africain produisait des diamants ?

Question 147

Quelle est l'une des **caractéristiques** de la **production** de **caoutchouc**:

    A. il est produit à 70% de manière synthétique ?

    B. il est l'un des rares produits de base à ne pas être produit par plus de trois pays différents:

l'Indonésie, la Malaisie et la Thaïlande, le Brésil ayant abandonné la production ?

C. il est l'un des rares produits de base à avoir une destination économique qui absorbe plus de 90% de la production: les pneumatiques ?

Question 148

Pour quelle raison la **pêche artisanale** présente-t-elle un **intérêt considérable** pour les **pays en voie de développement**:

A. parce qu'elle a un rendement équivalant à celui de la pêche industrielle alors qu'elle demande moins de capitaux ?

B. parce qu'elle est beaucoup plus créatrice d'emplois par rapport au même capital engagé ?

C. parce que les techniques artisanales sont toujours plus respectueuses de l'environnement que les techniques de pêches industrielles ?

Question 149

En quoi ces cinq minerais, le **bauxite**, le **chrome**, le **manganèse**, le **tantale** et le **cobalt**, ont-ils une **importance** considérable **pour les Etats-Unis**:

A. ce sont les cinq types de minerais essentiels qui entrent en compte pour la fabrication de la navette américaine ?

B. ces cinq minerais ayant une importance stratégique en matière d'armement sont importés à 90 % par les Etats-Unis ?

C. les Etats-Unis sont les premiers exportateurs mondiaux de ces cinq minerais, lesquels ont une importance énorme en matière spatiale ?

Question 150

Quel **effet** a eu la production d'**excédent de blé** à travers le monde:

    A. la transformation des habitudes alimentaires dans certains pays ?

    B. la destruction d'importants stocks ?

    C. l'augmentation des revenus des agriculteurs des pays exportateurs ?

Question 151

Quelle **différence** peut-on observer entre le **maïs** produit en **Amérique latine et** celui produit aux **Etats-Unis**:

    A. alors que le maïs produit aux Etats-Unis est principalement destiné à l'exportation, celui produit en Amérique latine est destiné à satisfaire les besoins locaux ?

    B. alors que le maïs produit par les Etats-Unis est très riche en matière nutritive, celui d'Amérique latine est très pauvre ?

    C. alors que le maïs des Etats-Unis est principalement destiné à la consommation animale, celui d'Amérique latine est destiné à la consommation humaine ?

Question 152

Quel est le pays qui a le **rendement en blé** (quintaux à l'hectare) le **plus élevé** au monde:

    A. le Danemark ?

    B. la France ?

    C. les Pays-Bas ?

Question 153

Qu'est-ce qui rend la **culture du riz** très **aléatoire** dans les pays industrialisés européens:

A. les conditions climatiques ne sont pas propices à cette culture ?

B. cette culture exige beaucoup de travail humain trop coûteux ?

C. le riz ne fait pas partie des habitudes alimentaires des Européens ?

Question 154

Parmi ces trois pays, quel est celui où la **production** de **pommes de terre** a été en **régression** au cours des 20 dernières années:

A. l'Inde ?

B. les Etats-Unis ?

C. la Pologne ?

Question 155

Quelle **différence** existe-t-il entre le **soja** et l'**arachide**:

A. le soja peut être consommé directement sous forme de pousse par les humains, ce qui n'est pas le cas de l'arachide, dont l'unique utilisation est la fabrication de l'huile ?

B. le soja peut être cultivé indifféremment sous climat tempéré et tropical, alors que l'arachide ne se cultive que sous climat tropical ?

C. le soja appauvrit peu le sol, alors que l'arachide l'appauvrit énormément ?

Question 156

Quel est le pays dont la **balance commerciale** n'est **pas déficitaire** en ce qui concerne le **sucre**:

    A. l'URSS ?

    B. le Brésil ?

    C. l'Inde ?

Question 157

Alors que la **Chine** est de loin le **premier producteur** de **tabac**, pourquoi n'est-elle pas affectée par les campagnes antitabac:

    A. parce qu'elle n'utilise pas le tabac pour le transformer en cigarette mais pour usage médical ou sous forme de chique ?

    B. parce qu'elle ne participe pas aux échanges de tabac sur les marchés mondiaux ?

    C. parce qu'elle exporte son tabac dans les pays du tiers monde qui ne sont pas touchés par les campagnes antitabac ?

Question 158

Pourquoi les **pays producteurs de café** ne bénéficient-ils pas entièrement de l'**exportation** du café:

    A. parce que le commerce du café est régi par un accord international qui interdit aux pays producteurs de torréfier le café sur place ?

    B. parce que le café est un des seuls produits à ne pas être payé en devises mais en monnaie locale ?

    C. parce que les principaux propriétaires des terres à café, dans les pays producteurs, sont de nationalités nord-américaines et ils exportent direc-

tement les produits vers les pays consommateurs ?

Question 159

Que provoqua le **relèvement** des **droits sur le thé** par
les Anglais au **XVIIIᵉ siècle**:

    A. c'est le premier incident qui provoqua la révo-
       lution américaine en 1773 ?

    B. c'est la cause de la première guerre sino-
       anglaise qui déboucha sur la première conces-
       sion territoriale donnée aux Anglais ?

    C. la Compagnie des Indes orientales fut obligée
       de se mettre sous contrôle britannique ?

Question 160

Quel événement provoqua l'**arrêt** presque total de la
production de vin français à la fin du **XIXᵉ siècle**:

    A. la concurrence progressive des vignobles ita-
       liens provoqua une chute de production aggra-
       vée par les incessants conflits internes et exter-
       nes entre la France et ses voisins ?

    B. un puceron venant des Amériques ravagea
       l'ensemble des vignobles français ?

    C. une succession de catastrophes naturelles, feu
       de broussailles de l'été 1898 et tempête de
       grêles de l'hiver et du printemps de 1899, eut
       pour effet de réduire la production du vignoble
       français à une peau de chagrin durant quelques
       années ?

Question 161

Que sont les *herd-book, stud-book et flock-book*:

A. ce sont les livres qui sont tenus internationalement et qui reprennent, par pays, le nombre de
têtes de bovins, chevaux et ovins ?

B. ce sont les livres qui sont tenus internationalement et qui reprennent les caractéristiques
génétiques de bovins, chevaux et ovins ?

C. ce sont les trois livres qui déterminent les rendements en viande, en lait, etc. des bovins, chevaux et ovins ?

Question 162

Quel **avantage** présente l'**aquaculture** par rapport à
l'**élevage bovin**:

A. le gain de poids pour les poissons par rapport à
une même quantité d'aliments ingérée est plus
de deux fois supérieur à celui des bovins ?

B. la culture de poissons demande moins de main-
d'œuvre que celle des bovins ?

C. le rendement à l'hectare des poissons est plus
élevé que celui des bovins ?

Question 163

Quelle était l'une des **caractéristiques** essentielles des
pays fondateurs de l'OPEP:

A. ils étaient tous localisés au Moyen-Orient ?

B. ils produisaient à l'époque plus de 50% de la
production mondiale ?

C. ils assuraient la quasi-totalité (90%) des exportations mondiales de pétrole ?

Question 164

Quel événement fut à la base de l'**accroissement** de la **production** de **pétrole** au début du **XXe siècle**:

    A. la commercialisation progressive de l'automobile ?

    B. l'invention des plastiques à base de pétrole ?

    C. le développement du moteur diesel pour les bateaux ?

Question 165

Quelle est l'une des **différences** en ce qui concerne la consommation du **pétrole** et du **gaz**:

    A. au rythme actuel, les réserves de gaz permettent 35 années de consommation; les réserves de pétrole permettent quant à elles 40 années de consommation ?

    B. alors que le transport du pétrole se fait principalement via les pétroliers, le gaz est principalement transporté par gazoducs ?

    C. on découvre chaque année plus de gaz qu'on n'en consomme, ce qui n'est pas le cas pour le pétrole ?

Question 166

Qu'est-ce qui **caractérise** les échanges de **gaz naturel**:

    A. les échanges se font principalement entre l'Europe occidentale, premier producteur mondial, et les Etats-Unis, premier consommateur mondial ?

    B. le premier courant d'échanges se déroule en Europe, entre la Norvège et les Pays-Bas d'une part, et l'Allemagne de l'Ouest, d'autre part ?

C. les échanges se font principalement des pays de l'Europe de l'Est vers les pays d'Europe occidentale ?

Question 167

Pour quelle raison les **centrales nucléaires** doivent-elles se situer à **proximité** des **centres** de consommation:

A. aucune ?

B. en raison du coût de transport de l'électricité ?

C. en raison de la déperdition très importante qui se produit lors du transport de l'électricité ?

Question 168

Comment se marque le **gigantisme** des **coûts** dans la **sidérurgie**:

A. à l'exception du Japon et des Etats-Unis, il n'y a en général en Occident qu'un seul grand complexe sidérurgique par pays ?

B. il y a de moins en moins de pays producteurs sidérurgiques au niveau mondial ?

C. il existe un monopole naturel en sidérurgie qui est progressivement devenu un monopole de droit dans la plupart des pays de la CEE ?

Question 169

Quel est l'un des critères de **localisation** des **usines** productrices d'**aluminium**:

A. elles se situent toutes près de cours d'eau car la production d'aluminium demande de grandes quantités d'eau ?

B. elles se situent dans les régions chaudes et humides où est produit le bauxite ?

C. elles se situent à proximité des centrales électriques dans la mesure où il faut beaucoup
d'électricité pour produire l'aluminium ?

Question 170

Quelle est l'une des **utilisations** principales du **cobalt**:

A. les prothèses dentaires ?

B. les circuits intégrés des ordinateurs ?

C. les instruments chirurgicaux ?

Question 171

Après les Etats-Unis et l'URSS, quel est le troisième
pays **grand producteur** de **cuivre** au monde:

A. l'Argentine ?

B. le Chili ?

C. le Brésil ?

Réponses

Réponse 142

☞ A.

L'**Albanie** est un **grand producteur de chrome**, le troisième, en fait, après l'URSS et l'Afrique du Sud. Le chrome est très résistant à l'usure et à la corrosion et on le mélange fréquemment avec les métaux ferreux pour en augmenter la résistance.

Réponse 143

☞ A.

Alors que le **café arabica** est originaire d'Ethiopie, c'est au **Brésil** qu'il est principalement produit. Son aire de culture s'étend sur l'Amérique latine et l'Amérique du Sud. Le **robusta**, l'autre variété de café, est produit principalement en **Côte-d'Ivoire** et en **Extrême-Orient**.

Réponse 144

☞ B.

En 1982, la **France** signe les accords sur la **loi des 200 miles**. La conférence des Nations unies sur le droit de la mer aboutit à un **accord qui crée un territoire maritime de 200 miles vers le large à fin d'exploitation économique**. La majorité des pays ont signé les accords en question qui représentent une extension des limites territoriales.

Réponse 145

☞ A.

Les principales **réserves de manganèse** sont surtout composées des **nodules polymétalliques** que l'on trouve sur les **fonds marins**, principalement dans le Pacifique. Grâce à ses territoires d'outre-mer, la France, depuis la signature de la loi des 200 miles qui augmente le territoire maritime économiquement exploitable en exclusivité, est maintenant un des pays qui possèdent les plus importantes réserves de ces nodules.

Réponse 146

☞ A.

Jusqu'au XVIIIe siècle, les **diamants** provenaient uniquement de l'**Inde**. Ce n'est qu'en 1728 que l'on découvrit les premiers gisements brésiliens, avant de trouver les premiers gisements sud-africains en 1867. L'Inde n'est plus aujourd'hui un producteur important. **C'est le Zaïre qui est le premier producteur mondial de diamants** (diamants industriels), avec une production annuelle de plus de 23 milliards de carats en 1987.

Réponse 147

☞ A.

Le **caoutchouc** est principalement produit de manière synthétique (70% de la production). En 1948 pourtant, c'était le **caoutchouc naturel qui fournissait 70% de la production mondiale**. A l'heure actuelle, la moitié de la production est destinée à la fabrication de pneumatiques.

Les Etats-Unis sont le principal producteur de caoutchouc synthétique; la Malaisie est le principal producteur de caoutchouc naturel.

Réponse 148

☞ B.

Pour un même capital engagé, la **pêche artisanale crée en moyenne 100 fois plus d'emplois que la pêche industrielle**. Pour des pays possédant des ressources halieutiques importantes et peu de capitaux, cette solution peut avoir des avantages considérables, surtout si la main-d'œuvre est abondante car **les rendements de la pêche artisanale sont très inférieurs à ceux de la pêche industrielle**.

Les **techniques** de pêche artisanale sont de manière générale **plus respectueuses de l'environnement** et des stocks de poissons que les techniques de pêches industrielles, mais il n'est pas rare d'assister à des déprédations volontaires contre des stocks de poissons ou à la destruction irrémédiable de stocks du fait de surpêche.

Réponse 149

☞ B.

Ces **cinq minerais**, qui ont une **importance stratégique en matière d'armement**, sont **importés à 90 % par les Etats-Unis**. Ces cinq minerais sont utilisés pour la fabrication des alliages à haute performance que l'on retrouve dans les industries de pointe, aéronautique notamment, et qui sont déterminantes pour la puissance militaire d'un pays.

Réponse 150

☞ A.

Les **excédents de blé** ont provoqué des **changements d'habitude alimentaire** dans nombre de pays en voie de développement qui ont pu en bénéficier à moindre prix mais furent **dommageables** pour les économies concernées. En effet, pour écouler les importants stocks de blé, on les a distribués via l'aide internationale et on a bradé le prix du blé à un tel point qu'il devint inférieur à celui des céréales locales qui cessèrent dès lors d'être rentables.

Réponse 151

☞ C.

Le **maïs nord-américain** a pour principale destination l'**alimentation animale**. Une faible partie seulement de la production américaine sert à l'**alimentation humaine** alors que c'est la destination la plus courante du **maïs d'Amérique latine**.

Réponse 152

☞ C.

Ce sont les **Pays-Bas** qui ont le **rendement en blé** en quintaux à l'hectare **le plus élevé au monde**. Le classement des six premiers pays se présente comme suit:

Pays	Quintaux/ha
Pays-Bas	71,4
Grande-Bretagne	60,2
RFA	59,4
France	56,5
RDA	55,2
Danemark	54,1
Monde	**23,1**

Réponse 153

☞ A.

Le **riz exige**, pour pouvoir être cultivé, **beaucoup de chaleur, d'eau et d'humidité**. Les tentatives de culture du riz en Europe sont peu convaincantes, sauf en Espagne. Il est par exemple impensable de cultiver le riz dans les pays d'Europe du Nord et même en France : cela s'avérerait trop aléatoire étant donné la pluviosité annuelle.

Les deux autres arguments peuvent être renversés, ou au moins compensés, dans la mesure où, d'une part, les rendements peuvent être bien plus importants — l'Espagne est le pays qui a le meilleur rendement mondial à l'hectare — et, d'autre part, le riz peut faire l'objet d'exportation s'il n'est pas consommé sur place.

Réponse 154

☞ C.

C'est en Pologne que la production de pommes de terre a chuté. Paradoxalement, la production de pommes de terre a augmenté aux Etats-Unis alors que la population américaine n'est pas grande consommatrice et que la pomme de terre est un aliment qui tend à être moins consommé au fur et à mesure que les conditions de vie s'améliorent. Les plus **grands consommateurs** de pommes de terre sont les **Soviétiques** et les **Irlandais,** avec respectivement 110 et 130 kg de pommes de terre consommés par personne et par an.

Réponse 155

☞ C.

Un des facteurs en défaveur de la culture d'**arachides** est qu'elle **appauvrit beaucoup les sols**, ce qui n'est pas le cas du soja. Le soja peut être cultivé tant sous climat tropical que sous climat tempéré, ce qui est également le cas, mais dans une moindre mesure, pour l'arachide, qui nécessite cependant plus de soleil. Le **premier producteur de soja** est, de loin, les **Etats-Unis**, qui produisent plus de 50% de la production mondiale. La **Chine** est le **premier producteur d'arachides**.

Réponse 156
☞ **B.**

Le **Brésil** est le seul de ces trois pays à **produire plus de sucre qu'il n'en consomme lui-même.** La consommation en sucre du Brésil en 1987 était de 7,1 millions de tonnes, alors que sa production approchait les 8,5 millions de tonnes pour la même année. Il est à noter que l'**URSS** est de loin le **premier producteur mondial de sucre** avec près de 10 millions de tonnes de sucre, d'origine betteravière, pour 1987. Toutefois, sa consommation avoisinait les 14 millions de tonnes pour la même année. L'Inde est le deuxième producteur mondial de sucre.

Réponse 157
☞ **B.**

C'est parce qu'elle **ne participe pas aux échanges internationaux** que la **Chine** n'est **guère touchée par la réduction de la consommation de tabac**. La plupart de sa production est autoconsommée sous forme de cigarettes. Par contre, les Etats-Unis, qui sont les premiers exportateurs mondiaux de tabac, font grise mine devant les campagnes antitabac qui se développent notamment en Europe.

Réponse 158

☞ A.

Les accords internationaux concernant le café pourraient davantage profiter à certains pays producteurs dans la mesure où **la torréfaction du café se fait dans les pays consommateurs** et non dans les pays producteurs. La torréfaction sur les lieux mêmes augmenterait la valeur de vente du café et donc les rentrées en devise. Certains pays comme la Colombie, l'Ethiopie, le Rwanda ou le Salvador dépendent du café à raison de 50% du total en valeur de leurs exportations.

Réponse 159

☞ A.

Le *"Tea Act"* fut la goutte d'eau qui provoqua la *"Tea Party"* de Boston en 1773 contre le relèvement des droits sur le thé. Par la suite, cette **révolte bostonnienne** dégénéra en une succession d'incidents qui provoquèrent la révolution américaine et l'accession à l'indépendance des Etats-Unis.

Réponse 160

☞ B.

L'arrivée du **phyloxera**, puceron d'origine américaine, **décima l'ensemble des vignes françaises** entre 1864 et 1900. Le vignoble fut reconstitué grâce à des plants de vignes américains résistant au parasite.

Réponse 161

☞ B.

Les *herd-book, stud-book* et *flock-book* sont les **livres** qui sont tenus internationalement et qui reprennent les

caractéristiques génétiques de bovins, chevaux et ovins.

Ces livres ont été mis au point après la Seconde Guerre mondiale pour permettre une uniformisation de la qualité des élevages grâce à l'introduction quasi généralisée de l'insémination artificielle.

Réponse 162

☞ A.

Les **animaux aquatiques convertissent mieux les aliments que les animaux terrestres.** Ainsi le gain de poids pour les poissons par rapport à une même quantité d'aliments ingérés est plus de deux fois supérieur à celui des bovins. D'autre part, les mollusques et poissons ont un taux de reproduction très élevé. Ce qui permet d'obtenir des **rendements à l'hectare très élevés,** de l'ordre de 250 t/ha.

Réponse 163

☞ C.

Les cinq **pays fondateurs de l'*OPEP* assuraient** en 1960 près de **90 % des exportations mondiales de pétrole.** L'OPEP fut fondée à l'initiative du Venezuela et regroupait également l'Iran, l'Iraq, l'Arabie Saoudite et le Koweit. En 1988, les treize pays de l'OPEP assuraient un bon tiers de la production mondiale de pétrole. L'URSS et les Etats-Unis assurent quant à eux plus de 37 % de cette même production.

Réponse 164

☞ A.

C'est l'apparition et le **développement de l'automobile** qui entraînèrent la recherche de **nouveaux gisements** et leur mise en exploitation. La production de **pétrole** en 1900 était de 20 millions de tonnes par an et elle crût pour finalement atteindre un sommet de 3 milliards de tonnes en 1979. Depuis, elle est en légère diminution étant donné la faiblesse de la consommation mondiale.

Réponse 165

☞ C.

Alors qu'il devient de plus en plus difficile de découvrir de nouveaux champs de pétrole, **on a découvert, durant les années 80, plus de réserves de gaz que ce qui avait été produit et consommé.** Les réserves de pétrole permettent une consommation de 40 années au rythme de consommation actuelle, alors que les réserves actuelles de gaz permettent une consommation de 52 années au rythme de consommation actuelle❖.

La **flotte pétrolière** transporte chaque année environ un milliard de tonnes de **pétrole brut** alors que les **oléoducs** transportent en tout près de 2 milliards de tonnes de **gaz liquide**. Les difficultés et le coût du transport du gaz par méthanier font que ce combustible est transporté principalement via les gazoducs (80%).

❖Ces données étaient valables jusqu'à la guerre du Golfe. L'incendie des puits de pétrole et le déversage en mer de grandes quantités de pétrole modifient quelque peu les données sans les rendre erronées pour autant.

Réponse 166

☞ B.

Les **échanges de gaz naturel** suivent quatre principaux courants, dont le premier se fait entre la **Norvège** et les

Pays-Bas, d'une part, et la **RFA**, d'autre part, **premier importateur mondial**. Le second courant d'échanges se déroule entre le Canada et les Etats-Unis, le troisième correspond aux exportations du Sud-Est asiatique vers le Japon et, enfin, le quatrième principal courant d'échanges relie l'Algérie à la France et à la Belgique.

Réponse 167

☞ **C.**

C'est principalement **en raison de la déperdition de l'électricité durant le transport que les centrales nucléaires doivent se trouver à proximité des grands centres de consommation**. Par ailleurs, il est évident que si cette déperdition n'existait pas, les centrales seraient largement isolées malgré les coûts de transport.

Réponse 168

☞ **A.**

A l'exception du Japon et des Etats-Unis, il n'y a en général en Occident, qu'**un seul grand complexe sidérurgique par pays** à l'instar de la France (fusion d'Usinor et de Sacilor), de l'Italie (Finsider), de la Grande-Bretagne (British Steel) et du Brésil (Siderbras). En fait, les coûts fixes en sidérurgie sont tels qu'il est nécessaire d'avoir un **marché énorme** afin d'absorber les quantités à produire pour être compétitif.

Alors que la production en Occident tend à diminuer, elle est largement compensée par l'apparition de nouveaux pays producteurs tels que la Corée du Sud ou Taiwan.

Réponse 169

☞ C.

La **production d'aluminium** se fait par réduction électrolytique de l'alumine qui provient d'une première transformation du **bauxite**. C'est pourquoi **ces industries ont besoin de grandes quantités d'énergie électrique** et se localisent principalement aux côtés des centrales hydrauliques ou thermiques qui fournissent l'énergie à bon marché.

Réponse 170

☞ A.

Le **cobalt** est principalement utilisé comme **alliage en aéronautique** pour fabriquer les turbines et les réacteurs, mais aussi en bonne partie pour les **prothèses dentaires** et pour l'ostéosynthèse.

Réponse 171

☞ B.

Sur les 9 millions de tonnes de **cuivre** produites en 1986, **40 % étaient fournis par l'URSS, les Etats-Unis et le Chili**, dont l'apport était supérieur au million de tonnes. Le cuivre était principalement utilisé dans les constructions électriques et électroniques, mais fut supplanté par de nouveaux produits moins coûteux et mieux adaptés.

Les usines qui produisent du cuivre se situent en priorité à proximité des lieux d'extraction, dans la mesure où la teneur en cuivre du minerai est généralement très faible (4%).

6

Histoire économique des pays industrialisés

❏ Section 1. La Grande-Bretagne

Question 172

Pour quelle raison le **solde de la balance commerciale** du **Royaume-Uni** devint-il **déficitaire** envers les Etats-Unis et l'Allemagne à la **fin du XIXe** siècle:

A. parce que la Grande-Bretagne avait décidé de maintenir ses frontières ouvertes ?

B. parce que la Grande-Bretagne souffrait de plus en plus du manque de productivité de ses entreprises par rapport aux deux nouveaux venus ?

C. parce que la Grande-Bretagne garda ses frontières ouvertes sans pour autant renouveler son outil industriel qui n'était plus guère compétitif ?

Question 173

Quel fut l'un des **freins** les plus importants au **renouvellement de l'outil de production anglais** à la fin du XIXe siècle:

A. le manque de capitaux fut principalement à la base du non-renouvellement des industries britanniques ?

B. les innovations britanniques en cette fin du XIXe siècle furent insuffisantes ?

C. la rénovation de l'outil industriel fut freinée par la résistance des ouvriers britanniques à l'intégration de nouvelles formes et méthodes de production ?

Question 174

Quelle fut l'une des **décisions** qui porta un **coup désastreux à l'économie britannique en 1925**:

A. la convertibilité de la livre sterling en or ?

B. la diminution du temps de travail et la proclamation de la semaine des 40 heures ?

C. la mise en œuvre d'une politique protectionniste ?

Question 175

La **grève générale de 1926** eut une conséquence profonde sur l'économie britannique, laquelle:

A. des pertes de parts de marché ?

B. une défiance nouvelle de la population active à l'égard des syndicats ?

C. le vote de nouvelles lois sociales qui mirent la Grande-Bretagne à la première place des pays industrialisés en matière de politique sociale ?

Question 176

Comment les Britanniques parvinrent-ils à sortir de la **crise de 1929**:

A. en mettant en œuvre une politique protectionniste ?

B. en soutenant une politique de dépenses grâce à une augmentation des salaires réels ?

C. en entamant des grands travaux publics ?

Question 177

Quel fut le **visage de l'économie britannique à la fin de la crise de 1929** (vers la moitié des années trente):

A. l'économie britannique devint une économie dans laquelle l'Etat était devenu le maître des leviers économiques ?

B. la concentration industrielle avait complètement transformé le visage de l'économie britannique traditionnellement fragmentée en petites unités de production ?

C. le consensus social entre Etat, entrepreneurs et travailleurs était total ?

Question 178

Quelle était l'une des **faiblesses** du processus complet d'innovation et de création de **nouveaux produits** en Grande-Bretagne depuis 1930:

A. alors que les Etats-Unis et l'Allemagne étaient à la pointe des découvertes, la recherche britannique manquait de subsides ?

B. la Grande-Bretagne fut le premier pays européen à être touché par le phénomène du brainstorming, l'évasion des cerveaux vers les Etats-Unis ?

C. alors que la Grande-Bretagne était à la pointe des découvertes technologiques, son industrie ne prit pas le relais pour l'exploitation de celles-ci ?

Question 179

Par quoi fut menacée la reprise de l'économie britannique après la Seconde Guerre mondiale:

A. par l'augmentation des salaires obtenus grâce aux grèves ?

B. par l'état de l'outil industriel britannique ?

C. par l'endettement extérieur de la Grande-Bretagne à l'égard des Etats-Unis ?

Question 180

Quelle mesure économique fit pression sur la **livre sterling** à partir de 1965 et amena en partie la **dévaluation** de 1967:

   A. l'instauration d'une taxe à l'importation de 15% ?

   B. le retour de la liaison de la livre sterling à l'or ?

   C. la liaison des salaires à l'indice des prix à la consommation ?

Question 181

Par quoi fut marqué le **retour des conservateurs au pouvoir** en **1970**:

   A. par la dénationalisation des secteurs sidérurgiques et automobiles ?

   B. par la nationalisation forcée de certaines firmes automobiles et d'une partie du secteur aéronautique ?

   C. par l'abandon du système de soins médicaux et dentaires gratuits ?

Question 182

Quel événement obligea le **gouvernement britannique** à faire **appel** au *FMI* en **1976**:

   A. le flottement de la livre sterling, qui se marqua par une dévaluation de 16% en un an ?

   B. le retrait des avoirs des pays de l'OPEP des banques londoniennes ?

   C. le déficit de la balance commerciale ?

Question 183

Parmi ces trois affirmations, l'une d'elles n'est pas une

raison du **déclin relatif de l'économie britannique** entre 1950 et 1974; laquelle:

    A. la perte de l'empire britannique ?

    B. les prélèvements fiscaux ?

    C. le manque de qualification de la main-d'œuvre disponible ?

Question 184

Comment se marqua l'**évolution du secteur agricole** en Grande-Bretagne depuis la fin de la Seconde Guerre mondiale:

    A. par l'accroissement des terres cultivées ?

    B. par un accroissement de la production aussi rapide que celui du secteur industriel ?

    C. par une crise ?

Question 185

Quel événement permit à la Grande-Bretagne de retrouver une **balance commerciale positive** au début des années 1980:

    A. la hausse des prix pétroliers ?

    B. la prise de sanctions commerciales des Etats-Unis envers l'Afrique du Sud ?

    C. la dévaluation de 5% de la livre sterling en 1981 ?

Question 186

Comment furent ralentis les effets liés au grand mouvement de **concentration des industries** britanniques à la fin des années soixante:

    A. par l'adoption d'une politique interdisant la concentration des entreprises ?

B. par une contestation des effets négatifs de la concentration, notamment les suppressions d'emplois, en lançant de nombreuses grèves ?

C. par les nationalisations qui mirent à la tête des grands entreprises des gestionnaires publics peu qualifiés pour la gestion des grandes entreprises privées ?

☐ Section 2. Les Etats-Unis

Question 187

Le **protectionnisme** qui a sévi après la création de l'Union des Etats américains (1773) n'était **pas apprécié**; par qui:

A. par les industriels du Nord qui désiraient acheter au meilleur prix leurs machines; or, c'étaient les Anglais qui les produisaient au coût le plus bas ?

B. par les planteurs de cotons du Sud qui désiraient acheter les machines au meilleur compte et craignaient les représailles à l'encontre des exportations de coton ?

C. par l'ensemble des producteurs, industriels du Nord et planteurs du Sud, qui craignaient les représailles concernant l'exportation de leurs produits ?

Question 188

Hormis pour des motifs humanitaires sincères, pour quelles raisons les *"yankees"* nord-américains craignaient-ils l'**esclavagisme**:

A. ils craignaient que les Sudistes commencent à produire des biens industriels avec l'appui d'une main-d'œuvre quasi gratuite ?

B. ils désiraient donner leur liberté aux esclaves pour développer le marché potentiel qu'ils représentaient alors ?

C. ils craignaient que l'esclavagisme ne se répande vers les nouveaux territoires de l'Ouest ?

Question 189

Pour quelle raison l'**immigration** commence-t-elle à poser des **problèmes** à partir de 1880 aux Etats-Unis:

- A. à cette date, le flot des immigrants s'implante dans les territoires du Nord et ne nourrit plus la conquête de l'Ouest, ce qui provoque des problèmes d'infrastructure ?
- B. à cette date, le flot des immigrants change de nationalité et les problèmes d'assimilation et de concurrence sur le marché du travail apparaissent ?
- C. à cette date, les immigrants sont en majorité chinois et ils sont totalement rejetés par les communautés déjà en place; beaucoup sont refoulés ?

Question 190

Quel fut le **principal secteur économique** des Etats-Unis à la fin du **XIXᵉ siècle**:

- A. le secteur agricole ?
- B. le secteur de production industrielle ?
- C. le secteur d'extraction des minerais ?

Question 191

Qui étaient les "*Knights of Labor*" (les Chevaliers du travail):

- A. c'étaient les membres les plus éminents des industriels les plus puissants des Etats-Unis. On y retrouve Rockefeller, Vanderbilt, etc. ?
- B. c'étaient les membres du Congrès qui défendaient les droits des travailleurs ?
- C. c'était le nom donné au mouvement ouvrier créé par Uriah Stephens en 1869 ?

Question 192

Comment les **cotonnades** du sud des Etats-Unis parvin-
rent-elles à se développer à nouveau après les dévasta-
tions de la **guerre de Sécession** (1861-1865):

A. les planteurs sudistes adoptèrent de nouveaux
contrats de métayage avec les Noirs et empruntèrent des capitaux aux banques du Nord-Est ?

B. les Sudistes formèrent un fond de reconstruction destiné à ceux dont les plantations avaient
été détruites ?

C. les Sudistes empruntent les capitaux nécessaires aux Européens ?

Question 193

Que sont les *"belts"* (ceinture):

A. c'étaient les limites d'extension des plantations,
imposées aux Sudistes après la guerre de
Sécession ?

B. c'étaient les grandes zones agricoles du centre
des Etats-Unis vouées à une monoculture ?

C. c'étaient les zones qui délimitaient, dans le sud
des Etats-Unis, les territoires dans lesquelles les
Noirs libérés pouvaient s'installer ?

Question 194

Quelle était l'une des caractéristiques de l'**agriculture
américaine** à la fin du **XIXᵉ siècle**:

A. elle était peu saine ?

B. elle présentait les rendements à l'hectare les
plus élevés du monde ?

C. elle représentait le premier secteur d'emploi
aux Etats-Unis ?

Question 195

Quel était l'**un des grands secteurs** dans lequel les Etats-Unis se développèrent le plus au début du **XXᵉ siècle**:

    A. le réseau ferroviaire ?

    B. la production d'acier ?

    C. le secteur textile ?

Question 196

Quelle **forme** avait le **paysage industriel américain** au début du **XXᵉ siècle**:

    A. l'industrie américaine se caractérise encore au début du XXᵉ siècle et jusqu'à la Première Guerre mondiale par un nombre très élevé de petites entreprises ?

    B. les dinosaures monopolistiques sont les maîtres des secteurs les plus importants: chemins de fer, acier, pétrole ?

    C. à part quelques petits monopoles, le marché est très morcelé ?

Question 197

Quelle est l'attitude du gouvernement américain à l'égard du **commerce international** au début du XXᵉ siècle:

    A. en passe de devenir la première économie mondiale, les Américains sont les champions du libre-échange ?

    B. les Américains adoptent une attitude partagée selon les secteurs de production et les pays avec lesquels ils commercialisent. C'est à cette époque que naît la fameuse clause de la nation la plus favorisée ?

C. la fin du XIXe siècle et le début du XXe siècle sont marqués par de fortes tendances protectionnistes ?

Question 198

Qu'introduisit le *Sherman Act* (1890) américain :

A. une législation restrictive sur l'immigration aux USA ?

B. une législation anti-trust aux USA ?

C. une législation qui autorise la création des holdings aux USA ?

Question 199

Pour quelle raison les premières **actions syndicalistes** furent-elles des **échecs** entre 1865 et 1870 aux Etats-Unis :

A. parce que les syndicats (Unions) utilisèrent les embrouilles politiques plutôt que le droit de grève et, à cause de leur faiblesse, ne parvinrent pas à s'imposer ?

B. parce que le patronat américain enleva toutes griffes aux syndicats en licenciant systématiquement tout fauteur de troubles ?

C. parce que l'Etat décida d'interdire toute représentation syndicale à partir de 1865. Cette interdiction resta valable jusqu'en 1870 ?

Question 200

Comment les **syndicats** étaient-ils **contrés** aux Etats-Unis à la fin du XIXe siècle :

A. par le patronat qui obtint du gouvernement l'interdiction de la création de syndicats dans les entreprises de moins de 500 ouvriers ?

B. par le patronat qui utilisa le Sherman Act pour déclarer les syndicats assimilables à des trusts et donc les faire condamner ?

C. par le patronat qui utilisa la mobilité de la main-dœuvre pour empêcher la formation des syndicats. Si cela n'allait pas assez vite, il donnait un petit coup de pouce en licenciant les meneurs ?

Question 201

Comment fut **freiné** le **développement économique** américain au début du XXe siècle:

A. par la mobilité de la main-d'œuvre qui était telle qu'il devenait difficile de former des ouvriers qualifiés ?

B. par des exportations handicapées par les mesures de rétorsion prises à l'encontre des Etats-Unis ?

C. par le manque de liquidités lors des périodes de croissance ?

Question 202

Dans quel **secteur** de l'économie américaine sont principalement **investis** les **capitaux étrangers** en 1913:

A. dans la métallurgie ?

B. dans les chemins de fer ?

C. dans le pétrole ?

Question 203

Quel **événement** permit aux Américains de **créer** de la **monnaie** à partir de 1914:

A. la réforme monétaire de 1913 qui produit enfin

ses effets et la création monétaire devint suffisante pour couvrir les besoins de l'économie ?

B. l'adoption du bimétallisme or-argent ?

C. la guerre qui apporta les encaisses métalliques nécessaires pour émettre de la monnaie ?

Question 204

Un de ces effets ne fut pas la **conséquence** de l'**entrée en guerre** des Etats-Unis en 1914:

A. le Clayton Act, qui protège les syndicats, est abrogé pour la durée du conflit de manière à éviter les troubles sociaux qui naissaient dans les bastions industriels du Nord-Est ?

B. les lois anti-trust sont laissées de côté pour permettre une amélioration de l'efficacité du système de production ?

C. un rationnement sur le blé, le sucre et le charbon ?

Question 205

Quel **secteur** américain de production **ne suivit pas le miracle américain** à partir de 1920:

A. le secteur agricole ?

B. le secteur textile ?

C. le secteur d'extraction du charbon ?

Question 206

Comment se marqua notamment la **crise de 1929** aux Etats-Unis:

A. par une réduction de 30% de la masse monétaire américaine ?

B. par l'effondrement de plus de 300% des prix de vente au détail et de gros ?

C. par une réduction de la production industrielle américaine qui, en 1932, ne représentait plus que 80% de la production de juin 1929 ?

Question 207

Comment la **crise de 1929** s'est-elle **propagée aux pays européens**:

A. par la chute de la bourse américaine qui entraîna la chute des bourses européennes ?

B. par l'endettement américain à l'égard de l'Europe qui s'aggrava à un tel point que les défauts de paiement provoquèrent de nombreuses faillites en Europe ?

C. par le rapatriement massif des capitaux prêtés aux Européens ?

Question 208

De quel **type** était la **crise de 1929**:

A. c'était une crise caractérisée par une hausse généralisée des prix ?

B. c'était une crise caractérisée par une baisse générale des prix ?

C. c'était une crise où les prix n'étaient pas affectés, seules les valeurs boursières le furent. Elles entraînèrent la faillite d'un grand nombre d'entreprises et par conséquent un chômage énorme ?

Question 209

En une dizaine d'années, de 1929 à 1939, **comment se transforma** l'**économie américaine** :

A. par le passage d'une économie capitaliste privée et concurrentielle à une économie où l'Etat devint un acteur économique prépondérant ?

    B. par une réorientation vers l'exportation plutôt que vers son marché intérieur déprimé ?

    C. par une perte de près de 20% de ses capacités de production ?

Question 210

Une de ces raisons n'est pas à la base du **plan Marshall**, à la fin de la Seconde Guerre mondiale; laquelle:

    A. les Américains sont au bord de la crise, leur outil de production ne trouve plus de débouché ?

    B. les Américains veulent éviter que l'Europe ne devienne communiste ?

    C. les Américains doivent placer les énormes capitaux qu'ils ont engrangés durant la guerre ?

Question 211

Quelle fut l'une des **actions économiques** les plus importantes du président *Eisenhower*:

    A. c'est sous son mandat que les progrès en matière sociale furent les plus considérables ?

    B. il donna un influx nouveau à la machine économique américaine par une politique de diminution des impôts ?

    C. il démantela les droits de douane américains qui étaient au plus bas depuis le début du siècle ?

Question 212

Comment se caractérise l'**économie américaine à la mort de** *J.-F. Kennedy*:

A. par une économie revigorée par la loi diminuant les impôts ?

B. par une économie délabrée ?

C. par une croissance chaotique ?

Question 213

Comment les Américains essayèrent-ils d'enrayer les **spéculations contre le dollar** au cours des années soixante:

A. en rachetant, via la *Federal Reserve,* une grande partie des dollars qui circulaient sur les marchés européens ?

B. en dévaluant le dollar trois fois de suite de 1966 à 1971 ?

C. en forçant, avec généralement beaucoup de succès, les banques centrales étrangères qui possédaient des dollars à ne pas les convertir ?

Question 214

Pour quelle raison la **flambée des prix du pétrole** futelle moins négative pour les Etats-Unis que pour les pays européens:

A. les Américains sont eux-mêmes producteurs de pétrole et les effets se compensèrent quelque peu ?

B. au moment où le prix du baril grimpait, le cours du dollar s'effondrait sur les différents marchés ?

C. étant donné que le baril est payé en dollars, il a suffi de faire tourner la planche à billets pour régler la facture pétrolière ?

Question 215
Quel a été le **moteur de la reprise économique** américaine **sous _Reagan_** à partir de 1982:

    A. la chute du dollar, qui a permis de diminuer les
        importations aux Etats-Unis et d'augmenter les
        exportations ?

    B. l'accroissement progressif des dépenses en
        armement ?

    C. la reprise de l'activité boursière ?

Question 216
Quel est l'un des **secteurs** américains les plus **en crise**
depuis 1981:

    A. le secteur automobile ?

    B. le secteur agricole ?

    C. le secteur sidérurgique ?

Question 217
Entre 1965 et 1980, quelle fut l'une des raisons
majeures de l'**accroissement de population** aux Etats-
Unis:

    A. l'immigration légale ?

    B. l'immigration clandestine ?

    C. la croissance normale de la population (diffé-
        rence entre taux de natalité et taux de morta-
        lité) ?

Question 218
Quel est **le fait économique le plus marquant** de l'ère
Carter:

    A. la création de onze millions d'emplois en
        quatre ans ?

B. la chute du cours du dollar par rapport à toutes les monnaies européennes ?

C. la diminution de l'endettement américain ?

Question 219

Quel fut l'un des **désavantages de la politique reaganienne** pour les Européens:

A. les Etats-Unis devinrent de plus en plus protectionnistes vis-à-vis des Européens et mirent en danger leurs exportations. Ce sont les Japonais qui bénéficièrent de la croissance américaine ?

B. les années Reagan furent marquées par une surévaluation du dollar, qui provoqua un renchérissement des factures pétrolières et des remboursements des emprunts libellés en dollars ?

C. la course à l'armement des Etats-Unis, qui se poursuivit jusqu'en 1986, provoqua un refroidissement du climat d'entente et un gel des relations commerciales entre l'Europe de l'Ouest et l'Europe de l'Est ?

Question 220

Un de ces secteurs n'est pas à la base du **renouveau industriel** américain; lequel:

A. le secteur des produits de synthèse ?

B. le secteur de l'énergie ?

C. le secteur bancaire ?

Question 221

Quel est l'un des problèmes liés au **développement récent des secteurs de pointe** aux Etats-Unis:

A. comme partout dans le monde, le principal problème de ces secteurs est que le rythme des découvertes est bien plus rapide que l'adoption des nouveaux systèmes par l'économie ?

B. le problème majeur réside dans la nécessité de trouver de la main-d'œuvre qualifiée toujours obligée de se recycler ?

C. le problème majeur vient du fait que les plus âgés sont de plus en plus vite éliminés de ce type de secteur en raison de leurs difficultés d'adaptation aux nouvelles technologies ?

❏ Section 3. L'Allemagne

Question 222

A quoi doit-on l'émergence du **mark-or**, comme **monnaie unique** en Allemagne vers 1870:

    A. à la volonté centralisatrice du chancelier Bismarck ?

    B. à l'effondrement de la monnaie impériale ?

    C. au versement d'une partie du stock d'or de la France à l'Allemagne à titre de dommage de guerre ?

Question 223

Comment *Bismarck* parvint-il à désamorcer les **luttes salariales**:

    A. il organisa des forums patrons-ouvriers pour négocier des objectifs économiques à atteindre ?

    B. il fit interdire les syndicats en Allemagne ?

    C. il instaura une législation sociale parmi les plus évoluées du monde ?

Question 224

Un de ces effets en rapport avec la **victoire de l'Allemagne sur la France en 1870** n'est pas à la base de l'essor de l'économie allemande; lequel:

    A. une somme de 5 milliards de francs fut versée à l'Allemagne et permit aux Etats allemands de s'acquitter de leurs dettes ?

    B. l'acquisition de l'Alsace et de la Lorraine constitua de nouvelles sources d'approvisionnement pour la sidérurgie allemande ?

    C. la France fut forcée d'accepter des livraisons allemandes de charbon, de fer et d'acier ?

Question 225

A quoi est due l'émergence du **protectionnisme** allemand à la fin du XIXe siècle:

    A. à la volonté de protéger une industrie naissante ?

    B. aux suites de la crise de 1873 qui fragilisa l'économie allemande ?

    C. aux pratiques de dumping effectuées par les Anglais et les Américains sur les marchés allemands ?

Question 226

Quel était l'un des **atouts** allemands dans la **conquête des nouveaux marchés**, au détriment des Anglais bien souvent:

    A. l'utilisation d'attachés commerciaux multilingues ?

    B. la productivité des Allemands, qui leur permit de pratiquer des niveaux de prix très bas ?

    C. la stratégie très agressive — bien connue sous le vocable "stratégie de la canonnière" — des Allemands ?

Question 227

Comment se marque l'**inflation catastrophique** en Allemagne **entre 1920 et 1923**:

    A. par un dollar qui valait 84 marks allemands, en 1920, et valut plus de 4 milliards de marks en 1923 ?

B. par une hyperinflation (hausse de prix très importante) qui provoque la perte de marchés extérieurs (23% des marchés perdus en 3 ans) ?

C. par une hyperinflation qui provoqua une diminution de 60% de la production agricole ?

Question 228

En quoi consistait le *plan Dawes* (1924):

A. c'était un plan américain qui visait à permettre aux Allemands de stabiliser le mark en le garantissant par des réserves en devises ?

B. c'était un plan anglais visant à annuler la question des réparations de guerre ?

C. c'était un plan allemand de réarmement qui devait permettre une reprise de l'activité économique ?

Question 229

Quel fut l'un des effets économiques majeurs de l'**hyperinflation allemande**:

A. une concentration industrielle ?

B. une fuite des capitaux allemands qui furent investis en Amérique du Sud ?

C. l'émergence d'une seule banque centrale allemande ?

Question 230

Quelle classe de population bénéficie largement de la **prise de pouvoir d'*Hitler*** en Allemagne:

A. le patronat ?

B. les agriculteurs ?

C. les ouvriers ?

Question 231

Une de ces raisons n'est pas à la **base du redémarrage de l'économie allemande** après la Seconde Guerre mondiale; laquelle:

    A. l'outil de production était moins endommagé que prévu ?

    B. les ouvriers acceptèrent une diminution de la masse salariale au profit de l'investissement ?

    C. l'accroissement de la main-d'œuvre de retour du front ?

Question 232

Quelle est l'une des **grandes variables** clés de l'**économie** allemande:

    A. la variable démographique ?

    B. la variable régionale ?

    C. la variable ethnique ?

Question 233

Quelle est la raison qui contribua à instaurer chez les Allemands une **mentalité d'exportateurs** juste après la Seconde Guerre mondiale:

    A. la division de l'Allemagne en deux, qui réduisit le marché intérieur ?

    B. la nécessité d'exporter des produits finis pour importer les matières premières et les technologies ?

    C. la faiblesse du niveau de consommation des Allemands due au bas niveau des salaires ?

Question 234

Comment les firmes se sont-elles adaptées aux nouvelles conditions du **marché du travail** en RFA:

A. par la suspension, depuis 1979, de la liaison des prix à l'index et l'adoption d'une nouvelle liaison aux accroissements de productivité ?

B. par la délocalisation de leurs unités de production vers les pays où le coût de la main-d'œuvre est inférieur ou par l'appel à des capitaux étrangers ?

C. par la division de leurs unités de production pour empêcher la formation des syndicats ?

Question 235

Qu'est-ce qui a considérablement affaibli le **secteur primaire** en **RDA**:

A. le manque de main-d'œuvre à la fin de la Seconde Guerre mondiale ?

B. l'absence de marchés à l'exportation ?

C. la parcellisation des terres ?

Question 236

Quelle est l'une des grandes causes de la **croissance industrielle de la RDA**:

A. les relations économiques avec l'Allemagne de l'Ouest ?

B. les débouchés à l'exportation représentés par les pays du COMECON ?

C. les relations économiques, tant au niveau des importations qu'au niveau des exportations, avec les pays du COMECON ?

❑ Section 4. Le Japon

Question 237

Pourquoi les **Japonais** accusaient-ils un **retard industriel** important jusqu'à la fin du XIXe siècle:

- A. les shoguns Tokugawa essayèrent de moderniser le Japon mais furent confrontés à la résistance des castes des daïmiôs et des samouraïs, pour lesquelles les activités commerciales étaient dégradantes ?
- B. les shoguns Tokugawa fermèrent complètement leur pays pour maintenir leur puissance ?
- C. les shoguns Tokugawa emprisonnèrent régulièrement une grande partie de la caste marchande envers laquelle ils avaient des dettes ?

Question 238

Comment le **shogun** pouvait-il **affaiblir économiquement les seigneurs** locaux (daïmiôs) au XIXe siècle:

- A. le shogun imposait la présence des daïmiôs dans la capitale Edo et d'énormes dépenses fastueuses.
- B. le shogun frappait les seigneurs locaux d'un impôt important sur leur propriété ?
- C. le shogun frappait les seigneurs locaux d'une imposition qui était fonction du nombre de personnes résidant sur leur fief ?

Question 239

Comment se créèrent les premières **castes** de grands **marchands** au Japon:

- A. l'empereur Mitsu Hito (1852-1912) obligea les

nobles à se consacrer au commerce et certains purent s'enrichir considérablement ?

B. les premiers grands marchands furent de nationalité chinoise car le commerce était déconseillé aux citoyens japonais ?

C. les daïmiôs et les samouraïs, qui refusaient l'oisiveté de la cour d'Edo, se lancèrent dans les affaires ?

Question 240

Comment s'ouvrit définitivement le Japon au **commerce avec les pays industrialisés**:

A. l'ouverture du Japon fut décidée par l'empereur Mitsu Hito, premier empereur de la dynastie Meiji (fin du XIXe siècle) ?

B. comme la Chine, le Japon s'ouvrit en donnant des concessions territoriales aux grandes nations industrialisées ?

C. les canonnières américaines contraignirent le Japon à s'ouvrir en donnant accès à deux ports ?

Question 241

Quel effet eurent les premières **réformes paysannes** de l'ère Meiji:

A. le nouveau type de fiscalité, un impôt foncier fixe, entraîna de graves révoltes chez les paysans incapables de payer l'impôt en cas de mauvaises récoltes ?

B. la production agricole s'accrut considérablement, à la suite d'une redistribution des terres, et permit des bénéfices réinvestis en matériel ?

C. les réformes de l'empereur Mitsu Hito permirent aux paysans de sortir des rapports féodaux qu'ils entretenaient avec leurs seigneurs ?

Question 242

Quel effet eut, entre autres, l'**obligation périodique de résidence des daïmiôs à** *Edo*, la capitale japonaise, au XIXe siècle:

A. les daïmiôs, incapables de commercialiser les revenus en riz, durent faire appel aux marchands ?

B. la concentration de la noblesse à Edo laissa l'ensemble du territoire sans gouvernant et l'économie japonaise eut à en souffrir dans la mesure où la gestion des terres n'était plus assurée ?

C. une nouvelle caste de dirigeants émergea, laquelle contrôla progressivement les terres laissées sans direction ?

Question 243

Comment l'empereur Mitsu Hito parvint-il à **monétariser** progressivement l'**économie japonaise**:

A. il imposa l'usage de la monnaie en interdisant le paiement en nature des transactions commerciales dans les grands centres commerciaux (Osaka) ?

B. il imposa le paiement de l'impôt en monnaie et non plus en nature (riz) ?

C. il imposa l'achat en monnaie des semences de riz des grands stocks impériaux ?

Question 244

Quel était l'un des **handicaps** les plus importants du Japon lorsqu'il voulut développer son **industrie lourde**:

A. il manquait cruellement de main-d'œuvre qualifiée ?

B. il manquait de capitaux ?

C. il n'avait aucune connaissance pour développer ce type d'industrie ?

Question 245

Pour quelle raison l'**Etat** se désengagea-t-il du **secteur industriel** à la fin du XIXe siècle au Japon:

A. après avoir lancé le processus d'industrialisation, l'Etat se désengagea en revendant (avec profit) les industries pour se consacrer au développement de l'infrastructure ?

B. pour financer les guerres qu'il sentait venir (Chine, 1894-1895), l'Etat japonais se désengagea du secteur industriel ?

C. suite à la crise inflatoire qui suivit la première période d'industrialisation, l'Etat japonais fut contraint de pratiquer une politique déflationniste et de revendre les entreprises (à perte) pour maîtriser cette inflation ?

Question 246

La **victoire du Japon sur la Chine** en 1895 eut un **effet économique** important sur le Japon; lequel:

A. elle permit aux Japonais de résoudre les problèmes financiers qui étaient les leurs en réclamant une forte indemnité de guerre aux Chinois.

B. le traité de paix sino-japonais prévoyait la cession de la Mandchourie aux Japonais ?

C. le Japon fit payer une indemnité de guerre aux Chinois en leur imposant la livraison gratuite de matières premières pour une durée de cinq ans ?

Question 247

Après sa **victoire** sur la **Russie** (1905), comment le Japon bénéficia-t-il de sa victoire:

A. il prit possession des ports mandchous d'où les Japonais importèrent les matières premières ?

B. il put envoyer dans les territoires nouvellement occupés son trop-plein de population ?

C. il obtint des territoires qui lui permirent enfin de tirer les matières premières qui lui manquaient ?

Question 248

Parmi ces trois effets, quel est celui qui n'est pas la conséquence de la **Première Guerre mondiale**:

A. la fin de la guerre fut suivie d'une grave crise pour l'économie japonaise de 1920 à 1921 ?

B. la Première Guerre mondiale permit au Japon de tripler son commerce extérieur entre 1914 et 1918 ?

C. le transport des marchandises asiatiques était assuré en 1918 à 50% par la marine marchande japonaise ?

Question 249

Une de ces raisons n'est pas à la base du développement du **commerce extérieur** japonais au début du XXe siècle; laquelle:

    A. la taille restreinte du marché intérieur et les habitudes ascétiques de la population japonaise qui ne permettaient pas de le développer ?

    B. l'obligation, pour les Japonais d'exporter pour pouvoir importer leurs matières premières ?

    C. la mode des bibelots japonais ?

Question 250

Pourquoi la **crise de 1929** n'eut-elle que des **effets de brève durée sur l'économie japonaise**:

    A. tout en étant intégrés dans le commerce international, les Japonais ne subirent pas les effets du rapatriement des fonds américains. Il n'y eut donc pas de crise de liquidités ?

    B. les Japonais n'avaient pas encore assez de relations commerciales avec l'Europe et les Etats-Unis pour être vraiment pris dans la tourmente de la crise, les relations commerciales étant principalement orientées vers l'Asie ?

    C. un plan de redressement via les dépenses gouvernementales fut mis en œuvre dès la fin de 1932 ?

Question 251

La crise de 1929 eut un effet important sur la **structure du capitalisme japonais**; lequel:

    A. elle permit un renforcement des Zaîbatsus, grands groupes industriels japonais ?

B. elle marqua le grand retour de l'Etat aux commandes de l'industrie japonaise. En 1934, 35% de la production est aux mains de l'Etat ?

C. elle eut pour effet d'affaiblir les militaires, qui demandaient des dépenses en armement au profit des hommes politiques, qui demandaient le développement d'un marché intérieur pour échapper à la dépendance des marchés d'exportation ?

Question 252

Quel événement fut à la base du **développement** de l'**industrie métallurgique et chimique** du Japon à la fin des années 30:

A. les grands groupes industriels cèdent à la pression des militaires et développent les industries lourdes en vue de former une économie de guerre ?

B. les industriels ne parviennent pas à développer le marché intérieur et donc les produits civils, ils alimentent alors l'industrie lourde d'armements ?

C. l'empereur Hiro Hito (1901-1989) oriente la politique industrielle japonaise de manière à ce que le Japon devienne la première puissance métallurgique et chimique du monde ?

Question 253

Une des ces propositions ne faisait pas partie des **réformes imposées par les Américains** aux Japonais en 1946:

A. le démantèlement des Zaîbatsus, les grands trusts nationaux, au nom de la concurrence ?

B. la réforme agraire qui transfère 4 millions
d'hectares des propriétaires non-résidents aux
propriétaires exploitant les terres ?

C. la dénonciation de la loi eugénique qui contrô-
lait jusqu'alors le taux de natalité ?

Question 254

Comment se fit la **reprise économique après la
Seconde Guerre mondiale**:

A. la reprise se fit grâce au plan d'expansion de
H.J. Dodge, banquier américain qui amena
dans ses valises les fonds américains devant
servir à la reconstruction ?

B. la reconstruction se fit lentement et dut attendre
la guerre du Viêt-nam pour véritablement
s'épanouir ?

C. l'Etat finança la reconstruction à raison de 60%
des investissements ?

Question 255

Quel événement permit au Japon de retrouver son **indépendance économique**:

A. la guerre contre la Corée lui permet de retrouver sa complète indépendance grâce au traité de
San Francisco (1951) ?

B. l'indépendance économique est rapidement res-
taurée (1948) pour permettre au Japon de deve-
nir un rempart contre le bolchevisme ?

C. la guerre du Viêt-nam leur permet de retrouver
une pleine indépendance politique et économique ?

Question 256

Quelle était l'une des forces de la **métallurgie japonaise** lors de la reconstruction de l'économie japonaise, entre 1955 et 1960:

A. doté d'un outil neuf, la métallurgie japonaise est la plus productive du monde ?

B. c'est surtout sa situation sur l'eau (en bord d'océan) qui fait la force de la métallurgie japonaise ?

C. la métallurgie japonaise bénéficia des achats des Etats-Unis désireux de relancer l'économie japonaise ?

Question 257

Quel événement donna un **boom à l'économie navale japonaise** après la Seconde Guerre mondiale:

A. le rachat d'une bonne partie des navires de guerre américains qu'elle transforma ?

B. la réorientation de la production américaine vers des vaisseaux de guerre durant le conflit du Viêt-nam ?

C. la crise de Suez et l'orientation vers la construction des superpétroliers de plus de 400.000 tonneaux ?

Question 258

Quelle raison, entre autres, fit que **les crises économiques ont peu affecté le Japon** au cours de ces quarante dernières années:

A. le secteur de la sous-traitance, qui servit, en quelque sorte, de tampon ?

B. l'augmentation du marché intérieur, ces quarante dernières années, compensant l'effet des crises ?

C. les nouveaux marchés asiatiques ?

Question 259

La **croissance de la population japonaise** après la Seconde Guerre mondiale avait à la fois des **avantages** et des **inconvénients**. L'une de ces propositions est toutefois incorrecte; laquelle:

A. l'abondance de la main-d'œuvre permit de conserver les salaires les plus bas des pays industrialisés; ce qui est encore le cas aujourd'hui ?

B. le surpeuplement fit fortement pression sur la balance alimentaire ?

C. la croissance de la population permit la création d'un marché intérieur ?

Question 260

Qu'est-ce qu'un *Keiretsu:*

A. un conglomérat d'entreprises industrielles ?

B. un groupe financier ?

C. une association d'hommes politiques influents ?

Question 261

Comment l'**Etat** japonais favorisa-t-il les **investissements** privés après la Seconde Guerre mondiale:

A. les investissements privés qui entraient dans les plans du Ministery of International Trade and Industry (MITI) étaient entièrement déductibles la première année ?

B. l'Etat permettait un amortissement de 60% dans la première année pour certains investissements ?

C. l'Etat renforçait les investissements privés en augmentant ceux-ci d'un subside s'élevant jusqu'à 2% de l'investissement initial ?

Question 262

Quelle différence peut-on noter entre le **budget de l'Etat japonais** et le **budget des économies occidentales**:

A. une bonne part du budget japonais est aujourd'hui consacrée à des investissements industriels ?

B. une grande partie du budget japonais est aujourd'hui consacrée aux dépenses sociales ?

C. le Japon ne consacre qu'une petite partie de son budget aux dépenses du secteur social et une grande partie aux dépenses d'infrastructures ?

Question 263

Que sont les *Sogo Shaga*:

A. ce sont les intermédiaires financiers qui jouent le rôle de garants à l'exportation pour les industries japonaises ?

B. ce sont les membres d'une caste d'industriels spécialisés dans la construction navale ?

C. ce sont les sociétés de commerce sur lesquelles se reposent les grands groupes industriels pour assurer leurs relations commerciales et les ventes à l'étranger ou même à l'intérieur du pays ?

Question 264

A quelle époque remonte l'**emploi à vie au Japon**:

    A. il date du siècle dernier, époque à laquelle les ouvriers travaillaient toute leur vie dans l'industrie textile ?

    B. c'est un phénomène qui date de la fin de la Première Guerre mondiale ?

    C. il date de la fin de la Seconde Guerre mondiale et fut instauré pour contrer les syndicats japonais créés en 1946 ?

Question 265

Pour quelle raison l'**emploi à vie se généralisa**-t-il au Japon:

    A. il s'agit d'une longue tradition culturelle qui tend, dans ce cas, à restaurer les relations "maître-serviteur" ?

    B. l'emploi à vie permettait aux entrepreneurs de mieux contrôler leurs ouvriers grâce à la dépendance ?

    C. il s'agit de tentatives successives pour diminuer la mobilité des ouvriers qualifiés et peu nombreux ?

Question 266

A quelle époque fut créée la **planification** japonaise:

    A. en 1871, elle fut instaurée par l'Empereur Mitsu Hito ?

    B. en 1932, date à laquelle les autorités japonaises décidèrent de lancer un plan de redressement pour contrer les effets de la crise de 1929 ?

    C. elle date de 1949 ?

❑ Section 5. La France

Question 267

Dans quel état se trouve l'**économie française** à la veille de la crise de 1929:

A. elle a atteint le plein-emploi et la productivité française est la deuxième mondiale après celle des Etats-Unis ?

B. elle est en pleine récession, le secteur agricole se porte au plus mal ?

C. elle a atteint le plein-emploi mais souffre d'un manque évident de productivité par rapport à ses principaux concurrents ?

Question 268

Quel est l'un des **handicaps** de l'**industrie de construction électrique** en France à la fin du XIXe siècle:

A. elle souffre du dispersement des producteurs et de la dépendance des brevets étrangers ?

B. elle subit déjà le poids du coût de l'énergie, il faut importer le charbon nécessaire ?

C. elle souffre du manque de capitaux pour effectuer les lourds investissements nécessaires. L'Etat refuse d'intervenir ?

Question 269

Quel élément facilitera l'**émergence de *Saint-Gobain*** en tant que leader européen dans le secteur du verre dans l'entre-deux-guerres:

A. l'absence quasi totale de concurrents. Saint-Gobain est depuis longtemps le premier sur le marché et bénéficie d'une haute productivité qui lui assure une situation quasi monopolistique en Europe ?

B. les activités de Saint-Gobain sont stimulées par le développement du secteur automobile et le boom de la construction de bâtiments ?

C. Saint-Gobain bénéficie du support de l'Etat qui lui attribue une subvention globale de 10 millions de francs-or en sept ans ?

Question 270

Comment se répand en France la **crise de 1929**:

A. elle ne se répand qu'à partir de 1931 et est liée à la diminution des importations américaines ?

B. elle commence en 1929 avec un début de récession, qui se marque par la baisse des prix de gros et le plafonnement des dépôts ?

C. elle se répand en France à la suite de la faillite de la Banque de l'Union en septembre 1929 ?

Question 271

Combien de temps la France mettra-t-elle pour **retrouver un niveau de production équivalent à celui de 1929**:

A. la France ne retrouve son niveau de production de 1929 qu'à partir de 1953 ?

B. le niveau de production de 1929 est retrouvé à la veille de la Seconde Guerre mondiale, en 1939 ?

C. la crise en France n'est pas encore surmontée lorsque la guerre éclate; il faut attendre 1948 pour retrouver le niveau de production de 1929 ?

Question 272

Quel était l'un des grands **handicaps** du système de **production français** à la veille de la Seconde Guerre mondiale (1936-1939):

- A. la compétitivité française est limitée du fait de la vétusté de l'appareil de production ?
- B. l'économie française souffre déjà de salaires trop élevés par rapport à la productivité ?
- C. l'économie française est handicapée, sauf quelques exceptions, par des unités de production trop petites pour permettre de réels gains de productivité ?

Question 273

Pourquoi la **recherche française** est-elle **handicapée** au début du siècle jusqu'en 1939:

- A. parce qu'elle ne se fait hélas qu'au niveau fondamental sans se centrer sur les besoins de l'industrie française ?
- B. parce qu'elle est quasi inexistante du fait de l'absence totale de crédits ?
- C. parce qu'elle est bipolaire: les laboratoires universitaires sont coupés du monde industriel; la recherche industrielle est trop éloignée de la recherche fondamentale ?

Question 274

Quelle est l'une des raisons économiques qui furent à la base de l'**échec de la politique économique** imaginée par *Léon Blum* en 1936:

- A. les avancées de politique économique proposées par Léon Blum, systématiquement sabotées par le patronat français ?

B. les options politiques de Léon Blum qui se heurtent à la résistance des petits commerçants, lesquels se sentent floués et entament le mouvement de grève qui aboutira à la démission du gouvernement ?

C. la diminution du temps de travail qui se conjugue avec le manque de force de travail déjà très important en France ?

Question 275

Quel était le premier goulet d'étranglement à vaincre pour pouvoir **relancer la production** en France après la Seconde Guerre mondiale:

A. la production d'énergie ?

B. la main-d'œuvre ?

C. la sous-qualification de ses cadres et des ouvriers par rapport aux nouvelles techniques de production ?

Question 276

Quel sacrifice fut consenti pour permettre à l'**économie française** de redémarrer en **1945**:

A. la France sacrifie 30% de ses avoirs métalliques pour effectuer les premiers emprunts nécessaires à la reconstruction ?

B. la France accepte les conditions assez drastiques d'un emprunt américain ?

C. la France accepte de se séparer de 40% de son stock d'or pour solder sa balance commerciale déficitaire avec les Etats-Unis ?

Question 277

Comment l'**économie** française put-elle sortir du **gouffre** créé par la Seconde Guerre mondiale:

A. grâce à l'aide gratuite américaine et des prêts à très faibles taux (0,37%) qui permettent à la France de satisfaire les premiers besoins et de payer les importations françaises ?

B. grâce à un emprunt d'Etat à l'étranger et sur le territoire, qui permet de récolter 1.600 millions de dollars ?

C. grâce au plan Mendès France qui prévoit le blocage partiel des comptes et l'échange des billets en circulation ?

Question 278

Comment se marqua la **faiblesse** réelle **du franc français** à la fin de la Seconde Guerre mondiale:

A. la masse monétaire est trop importante et le franc français est dévalué le 25 décembre 1945. Un dollar vaut alors 119 FF (contre 20 FF en 1939) ?

B. la dévaluation ne suffit pas, le dollar se négocie à 213 FF sur les marchés parallèles ?

C. la fuite des capitaux continue à affaiblir le franc français, qui dévalue par rapport au dollar et se situe à 50 FF pour un dollar ?

Question 279

Qui mit en pratique les idées de *Pierre Mendès France* sur la reconstruction de l'économie française:

A. Jean Monnet ?

B. le général de Gaulle ?

C. René Pleven ?

Question 280

Pour quelle raison fait-on venir en France près de **300 000 travailleurs étrangers** entre 1946 et 1947 :

- A. pour pallier le départ des 500.000 prisonniers de guerre allemands vers leur pays ?
- B. pour compenser le manque persistant de mineurs pour l'extraction de charbon ?
- C. pour compenser le manque de main-d'œuvre provoqué par la diminution du temps de travail ?

Question 281

Comment l'*EDF* a-t-elle pu se développer considérablement après la Seconde Guerre mondiale :

- A. grâce aux subsides étatiques importants qui lui permettent de redémarrer et surtout d'être plus compétitive que les entreprises des pays voisins. La France commence à exporter de l'énergie ?
- B. grâce à sa situation d'entreprise nationalisée, elle est directement récipiendaire de l'aide américaine émanant du plan Marshall. En tout, 22% des sommes versées à ce titre à la France entre 1948 et 1951 retournent vers l'EDF ?
- C. grâce à la réduction de ses coûts de production due à la gratuité du pétrole que lui fournit l'Etat français via l'Algérie ?

Question 282

Quelle est l'une des **"erreurs"** économiques **commises** lors de la **reconstruction** de l'économie française entre 1945 et 1950 :

A. la reconstruction de son économie fut entreprise sans se soucier de la productivité et de la rentabilité des différents outils économiques. La France se caractérise par une multitude de petites entreprises qui ne peuvent bénéficier des économies d'échelle ?

B. le développement économique de la France est irrégulier. Alors que le secteur de la production énergétique est largement bénéficiaire de l'aide étatique, les secteurs industriels qui ont besoin de cette énergie se sont très peu développés par manque de capitaux.

C. l'excédent de monnaie par rapport à ces encaisses métalliques, les germes de l'inflation sont dans le fruit ?

Question 283

Qu'est-ce qui va fragiliser l'**exécution** du *plan Monnet* à partir de 1949:

A. le fait que la masse monétaire insuffisamment gagée par des encaisses métalliques provoque des pressions sur le franc alors que la France importe encore la plupart des matières premières ?

B. la signature du Pacte atlantique qui amène un accroissement des dépenses militaires. Les dépenses militaires font pression sur les ressources disponibles encore insuffisantes et provoquent une relance de l'inflation ?

C. la consommation freinée durant la guerre et pendant la période d'après-guerre, qui explose et provoque une inflation ?

Question 284

Pourquoi la **guerre de Corée** eut-elle globalement des **effets négatifs** sur l'économie française:

    A. elle est à la base d'une reprise de l'inflation en France ?

    B. elle provoqua une augmentation de la production mais surtout un déficit croissant de la balance commerciale, qui, à terme, provoquera une dévaluation du franc français ?

    C. elle provoqua une augmentation des dépenses militaires que les ressources de l'économie française ne purent satisfaire ?

Question 285

A quel **résultat** économique aboutit l'action économique de la **droite classique** française (gouvernement Pinay), qui consistait à redonner confiance aux milieux d'affaires en 1952:

    A. les investissements reprennent dans le secteur privé ?

    B. le rapatriement attendu des capitaux, à cause de l'amnistie fiscale, n'a pas lieu ?

    C. l'exonération fiscale provoque un déficit budgétaire entraînant un ralentissement de l'activité économique ?

Question 286

Comment les **agriculteurs** essayèrent-ils de compenser les **pertes de recettes** dues à la diminution des pénuries qui se produisirent à partir de 1950:

    A. en provoquant des pénuries artificielles pour soutenir les prix ?

B. en se lançant dans une course à la productivité qui portera rapidement ses fruits ?

C. en faisant pression sur le gouvernement pour que les prix agricoles soient soutenus, ce qui fut le cas ?

Question 287

Quel effet eut, entre autres, le **freinage de la consommation** en 1952:

A. la maîtrise de l'inflation ?

B. la fragilisation de tout le secteur artisanal en France, du petit commerçant à la production de chaussures, en passant par les petits artisans ?

C. le retour à un solde positif de la balance commerciale ?

Question 288

Quel **secteur** de la consommation était particulièrement **à la traîne lors de la reprise économique** qui se produisit entre 1949 et 1954:

A. le secteur agricole ?

B. le secteur de la construction ?

C. le secteur automobile ?

Question 289

Qu'est-ce qui donna un bol d'air au **secteur textile** en France à partir de 1956:

A. la guerre d'Algérie qui permet, via les commandes militaires, un accroissement de la production ?

B. la réévaluation relative du franc français par rapport à la lire qui permet au secteur textile français de retrouver sa compétitivité ?

C. les dépenses de consommation qui augmentent de 6% par an entre 1956 et 1960 ?

Question 290

De quelle manière la **production française** fut-elle handicapée durant la **guerre d'Algérie**:

A. les industries françaises qui auraient dû bénéficier des commandes militaires ne peuvent immédiatement répondre à la demande en raison de leurs faibles capacités de production ?

B. la guerre provoque le rappel sous les drapeaux de 400.000 à 500.000 hommes et l'économie française se retrouve à nouveau dans une situation de manque de main-d'œuvre ?

C. la guerre d'Algérie provoque une fuite des capitaux français qui pèse sur le franc et augmente le prix des importations. L'inflation par les coûts est relancée et met à terme en danger la compétitivité des entreprises ?

Question 291

Quelle effet eut la création du **franc lourd**:

A. le retrait de la circulation de 1,5% de la masse monétaire ?

B. l'adhésion de l'opinion publique à la volonté de stopper une fois pour toute l'inflation ?

C. la réévaluation du franc français face aux autres monnaies ?

Question 292

L'arrivée au pouvoir du *général de Gaulle* marque un **changement économique** de taille, lequel:

A. une réduction considérable des dépenses sociales ?

B. la libération à 90% des échanges avec les pays européens, dès 1959 ?

C. une politique du franc fort ?

Question 293

Comment se marque l'**évolution de l'agriculture** française par rapport à l'évolution du secteur industriel entre 1946 et 1974:

A. par l'égalisation du rythme de croissance de l'industrie, grâce à des gains de productivité considérables ?

B. par un retard par rapport au rythme de croissance de l'industrie, malgré un doublement de sa production sur cette période ?

C. par des accroissements de gains de productivité supérieurs à ceux de l'industrie grâce à la mécanisation poussée et l'utilisation de plus en plus systématique des engrais, la diminution des terres cultivées et la diminution du nombre d'agriculteurs ?

Question 294

Quelle différence fondamentale marque les **politiques économiques de la droite avant et après 1976**:

A. la politique de la droite jusqu'en 1976 est une politique du franc fort par rapport aux autres pays de la CEE. Par contre, après 1976, les dirigeants économiques laissent le franc filer pour améliorer la compétitivité des entreprises ?

B. la politique qui précède 1976 est une politique

très peu interventionniste; celle qui suit est une politique de redressement économique très directive ?

C. le volet social est très développé dans la politique économique avant 1976; celle qui suit est une politique libérale comme la France n'en a plus connu depuis la guerre ?

Question 295

Pourquoi les deux **chocs pétroliers** eurent-ils un effet économique pour la France plus dommageable que pour les autres pays européens:

A. parce que la hausse des prix pétroliers entre 1973 et 1979 s'est conjuguée à une dépréciation constante du franc français par rapport au dollar ?

B. parce qu'à l'époque, la France importait 75% de ses besoins énergétiques ?

C. parce que les industries françaises consomment proportionnellement le plus de pétrole, avec celles des Etats-Unis ?

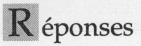éponses

Réponse 172

☞ C.

Alors que les Etats-Unis et l'Allemagne bénéficiaient d'un outil de production relativement neuf, celui des Britanniques, vieux de soixante ans, ne soutenait plus la comparaison. Les **investissements de renouvellement** nécessaires pour garder l'outil de production à la pointe des techniques **ne furent faits que trop lentement.** A cette cause fondamentale s'ajoute le fait que **la Grande-Bretagne**, forte de sa prédominance sur l'économie mondiale, **laissa ses frontières grandes ouvertes aux importations étrangères,** alors que les Etats-Unis et l'Allemagne étaient les champions du protectionnisme.

Réponse 173

☞ A.

L'ensemble des **capitaux** dégagés par l'économie britannique était **réinvesti** de manière privilégiée **vers l'extérieur.**

Au départ de la City, le quartier de Londres où sont regroupées la plupart des institutions financières, l'épargne anglaise était réinvestie vers les placements extérieurs alors que l'industrie anglaise en avait besoin pour faire face à la concurrence des Etats-Unis, de l'Allemagne et du Japon pour l'obtention des marchés extérieurs.

Réponse 174

☞ A.

Le retour à la **convertibilité** de la livre sterling en or fut un coup désastreux porté à l'économie britannique. En effet, **le taux de conversion était surévalué** (de 10% au moins, selon Keynes), ce qui défavorisa les exportations britanniques. Ce retour à la convertibilité de la livre sterling est bien le résultat de la fierté humiliée des Britanniques de ne plus être la première puissance économique au monde et l'effet conjugué de la raideur de leur attitude en ce qui concerne une monnaie forte et prestigieuse.

Réponse 175

☞ B.

La **grève générale de 1926** était à la base une **grève des mineurs** qui firent appel au *Trade Union Congress* (TUC) pour soutenir leur mouvement. Le pays se trouva confronté à une grève générale qui le paralysa. Quelques jours plus tard, le TUC se désolidarisait des mineurs, les jugeant trop exigeants. Le TUC arrêta la grève le 12 mai 1926, après s'être rendu compte que le gouvernement utilisait celle-ci pour rendre le mouvement syndical impopulaire. La grève des mineurs dura sept mois avant la capitulation. **Le mouvement ouvrier sortit très affaibli de l'épreuve et perdit 700.000 affiliés** en trois ans, passant de 5,5 millions d'affiliés en 1926 à 4,8 millions en 1929.

Réponse 176

☞ A.

Le tournant opéré par la Grande-Bretagne à la faveur de la crise de 1929 est décisif. **Le libre-échange est aban-**

donné au profit du protectionnisme et les Britanniques renoncent à la convertibilité de la livre sterling. C'est l'indication que la crise est très profonde alors que les partisans de la monnaie forte et du libre-échange sont encore largement majoritaires en Grande-Bretagne. Dès 1931, des droits de douane de 15 à 33% sont établis sur les produits importés et des contingentements sont imposés. Ce système est mis en place de manière à pouvoir soulager la balance commerciale déficitaire de la Grande-Bretagne.

Réponse 177

☞ **B.**

A la suite de la crise de 1929, **le gouvernement soutient le processus de concentration des grandes entreprises.** C'est le cas dans le secteur du charbon (Coal Mines Act) et dans le secteur sidérurgique (British Iron and Steel), de la construction navale, du textile, de l'automobile et dans le système bancaire. L'**outil de production** britannique est **beaucoup plus rentable et productif**, et la Grande-Bretagne ne tarde pas à sortir de la crise (1938-1939).

Réponse 178

☞ **C.**

La **Grande-Bretagne** est à la **pointe** dans les domaines des **technologies** à la fin de la Seconde Guerre mondiale. Le **radar**, la **télévision**, le **moteur** à réaction, par exemple, forment le fer de lance de la recherche britannique alimentée en cerveaux allemands dès la fin du conflit. Pourtant, les industries britanniques ne prennent pas le relais et ne favorisent pas l'exploitation commerciale de ces découvertes. Les moteurs à réaction et le radar deviendront des chasses gardées américaines, tandis que la télévision tombera progressivement dans le giron allemand et hollandais, puis japonais.

Réponse 179

☞ C.

A la fin de la Seconde Guerre mondiale, l'**endettement extérieur** de la Grande-Bretagne à l'égard des Etats-Unis s'élève à **25 milliards de dollars**. Les **Américains**, pour ne pas mettre en péril la reprise économique, **acceptent de le limiter à 650 millions de dollars**. Keynes parvient à obtenir des Américains un prêt de 4,4 milliards de dollars à un taux de 2% par an seulement. La Grande-Bretagne bénéficia en outre de l'aide émanant du plan Marshall, dont elle fut le principal bénéficiaire (24% du total des sommes).

Réponse 180

☞ A.

L'instauration d'une **taxe de 15% sur les importations**, destinée à les freiner, était pour beaucoup le **prélude** à une **dévaluation de la livre sterling**. Les attentes des agents économiques contribuèrent largement à affaiblir la monnaie britannique qui dut subir une dévaluation de 3,5% en 1967.

Réponse 181

☞ B.

Le **retour** d'un **gouvernement conservateur** après un règne de six ans des travaillistes se marque par la **nationalisation** "forcée" de *Rolls-Royce* et d'une partie du **secteur aéronautique** (1971). Le gouvernement conservateur qui aurait voulu revenir à une économie libérale entama difficilement son mandat. Ils durent venir également en aide aux "canards boiteux", qu'ils condamnaient auparavant, sous la pression des ouvriers qui occupaient les chantiers. Ce fut sans doute le gouvernement qui se voulait le moins interventionniste qui fut amené à l'être le plus par la pression des événements.

Réponse 182

☞ B.

En 1976, le **retrait des avoirs des pays de l'OPEP** placés à Londres provoque une véritable **hémorragie de capitaux** qui force le gouvernement anglais à faire appel au FMI et à des emprunts auprès de banques étrangères. C'est en raison du **mal chronique** dont souffre la Grande-Bretagne depuis 1918, le **déficit de la balance commerciale,** que le départ des capitaux des pays de l'OPEP est dramatique. C'est, en effet, grâce à une **balance des paiements bénéficiaire** que les Britanniques parviennent à compenser le solde négatif de la balance commerciale. A partir du moment où un retrait massif de capitaux est effectué, il faut faire appel à des capitaux extérieurs pour restaurer un semblant d'équilibre.

Réponse 183

☞ C.

Le problème de la **qualification de la main d'œuvre** n'intervint que très peu dans le déclin de la puissance économique britannique. Par contre, les **prélèvements fiscaux** excessifs furent une des raisons de la mauvaise santé de l'économie britannique de 1950 à 1980, de même que la **perte de l'Empire.**

Répondre à cette question est sans aucun doute très difficile et aléatoire dans la mesure où peu d'analyses économiques concordent à ce sujet. On peut toutefois citer pêle-mêle un certain nombre de facteurs ayant contribué à ce désavantage relatif de la Grande-Bretagne par rapport aux autres économies industrialisées:

- le **manque d'investissements intérieurs** liés, d'une part, aux investissements effectués à l'étranger à partir de la City, et, d'autre part, aux lourds prélèvements fiscaux;
- les **salaires trop élevés** obtenus à l'arraché par des grèves épuisantes;
- le **manque de main-d'œuvre** lors de la reconstruction de l'appareil économique après la Seconde Guerre mondiale;
- les **motifs psycho-sociologiques**;
- le **manque** de **mobilité** de la main-d'œuvre;
- les **combats** acharnés du **syndicalisme** qui mirent en péril des secteurs entiers de l'industrie britannique.

On peut aussi souligner la non-participation de la Grande-Bretagne à la construction européenne qui la prive de marchés.

La liste est longue et non exhaustive mais le résultat est là. Alors que l'ensemble (ou presque) des pays industrialisés se joignent à la croissance fabuleuse des années cinquante et surtout soixante, la Grande-Bretagne reste à la traîne.

Réponse 184

☞ A.

Une fois n'est pas coutume, alors que dans le monde les pays industrialisés diminuent leurs **superficies cultivées**, les Britanniques les augmentent. De plus, à cette augmentation des superficies, il faut ajouter les progrès importants dans la gestion des entreprises agricoles et la modernisation des outils de production. **Le secteur agricole caracole en tête** des secteurs en forme de l'économie britannique, malgré tout fort peu nombreux.

Les évolutions récentes (1980-1990) montrent toutefois un regain considérable d'activité industrielle au détriment de l'agriculture.

Réponse 185

☞ A.

La **hausse des prix pétroliers** profita à la Grande-Bretagne. Elle lui permit d'exploiter les puits de la mer du Nord. La Grande-Bretagne atteignit l'**autosuffisance en matière énergétique** et devint exportatrice de pétrole. Le pétrole fut la raison majeure du redressement de la balance commerciale britannique.

Réponse 186

☞ B.

La politique de **concentration volontariste** du gouvernement travailliste, consolidée par le processus spontané émanant du secteur privé, fut **mise en péril** par les **grèves des ouvriers** qui acceptaient très mal les effets négatifs de ce processus, surtout en termes d'emploi. La contestation sociale aboutit à l'émergence d'un gouvernement conservateur en 1970.

Réponse 187

☞ B.

Les planteurs craignaient les représailles sur les exportations de coton. Par contre, les industriels voulaient développer leurs industries à l'abri de la concurrence. En fin de compte, les industriels eurent raison des résistances des planteurs. Lorsque le Congrès américain vota le "Tarif des Abominations", les planteurs, dans leur ensemble, protestèrent énergiquement, rien n'y fit.

Réponse 188

☞ C.

C'est pour des raisons de **prédominance des Blancs au Congrès** que les **Américains** du Nord craignaient l'**extension de l'esclavagisme** vers les territoires de l'Ouest. Une main-d'œuvre formée d'esclaves, bon marché et abondante, aurait, pensaient-ils, chassé les Blancs des terres et donc risqué de diminuer leur influence au Congrès en amputant certaines régions d'un électorat supposé favorable à des thèses plus libérales.

Réponse 189

☞ B.

Si, au départ, les **immigrés** sont principalement **de souche anglaise ou irlandaise**, à partir de 1880, les **immigrants** sont majoritairement **italiens, austro-hongrois, allemands** et **scandinaves**. Les problèmes d'assimilation dus au langage commencent à surgir de même que des problèmes de concurrence sur le marché du travail dans la mesure où l'immigration atteint son apogée à cette époque.

Ainsi, 5.246.000 immigrants entrent aux Etats-Unis

entre 1880 et 1889, 3.680.700 entre 1890 et 1899 et 8.770.000 entre 1900 et 1909. La population américaine augmente dans des proportions énormes: de 50 millions d'habitants en 1880, elle passe à 92 millions en 1914.

Réponse 190

☞ **A.**

L'**agriculture** reste le **secteur de pointe** aux Etats-Unis mais plus pour longtemps. Entre-temps, elle est la première agriculture mondiale. Si 47 millions d'hectares sont exploités en 1860, 73 millions d'hectares le seront au début du XXᵉ siècle. Outre l'**accroissement des terres cultivables**, la **mécanisation** a joué un rôle moteur essentiel qui permit l'**accroissement considérable de la productivité.**

Réponse 191

☞ **C.**

Les *"Knights of Labor"* étaient le **syndicat** qui succéda aux *"Unions"* dispersés et sans pouvoir réel. Le mouvement fut fondé en 1869 par *Uriah Stephens* et revendiquait l'interdiction du travail des enfants et la nationalisation des chemins de fer. L'originalité de ce mouvement est qu'il rassemblait tant les ouvriers que les femmes et les Noirs, chose quasi inconcevable à l'époque.

Réponse 192

☞ **A.**

Les **planteurs** sudistes adoptèrent de nouveaux **contrats de métayage avec les Noirs** et empruntèrent des capitaux aux banques du Nord-Est. Cette période de reconstruction laissa des traces profondes aux Etats-

Unis car les Nordistes étaient accompagnés par des financiers peu scrupuleux qui rachetèrent, parfois en toute illégalité mais en vertu du droit du vainqueur, les plantations sudistes pour une bouchée de pain.

Réponse 193

☞ B.

Les *"belts"* étaient et sont toujours les **grandes zones agricoles en principe vouées à un type de monoculture**. Ce sont ces immenses étendues cultivées qui fournissent la richesse agricole américaine depuis leur formation.

Réponse 194

☞ A.

L'**agriculture** américaine était en fait un **géant aux pieds d'argile** à la fin du XIXᵉ siècle.

Aux périodes de **pénurie** succèdent les périodes de **surproduction**, les sols sont appauvris trop rapidement, les coûts de transport sont prohibitifs et l'agriculture souffre du coût élevé des produits industriels nécessaires à la production. On trouve ici les germes des crises de surproduction qui affecteront l'agriculture américaine pendant tout le XXᵉ siècle.

Le rendement à l'hectare est peu élevé étant donné que l'on pratique la culture extensive.

Réponse 195

☞ B.

La production d'acier fait un bond impressionnant au début du XXᵉ siècle. En 1890, elle est encore de 4,3 millions de tonnes par an. En 1913, la production passe à 31,3 millions de tonnes.

Le **réseau ferroviaire** se développe encore quelque peu, mais le plus gros de l'effort est déjà accompli. De 1861 à 1901, le réseau ferroviaire passe de 49.000 km de voie ferrées à 325.000 km. Dix ans plus tard, il sera de 408.000 km.

Le **secteur textile** subit quant à lui la **concurrence de la vieille Europe**, mais également celle du textile japonais.

Réponse 196

☞ B.

Dès le début du XXe siècle, les **monopoles** sont de **taille impressionnante** et maîtrisent les **secteurs essentiels** de l'économie américaine. Les grands du capitalisme américain ne s'embarrassent pas de scrupule et bientôt on voit naître des dinosaures industriels tels que la Standard Oil (Rockefeller) ou la société de Vanderbilt qui contrôle les chemins de fer. Au total, **185 trusts contrôlent pas moins de 2.400 sociétés**.

Réponse 197

☞ C.

Les **tarifs douaniers** américains sont très **protectionnistes** au début du XXe siècle. Les lois de Mac Kingley (1890) et de Dingley (1897) sont à la base de la colère des agriculteurs américains qui craignent des représailles sur l'exportation de leur production.

Réponse 198

☞ B.

Le *Sherman Act* visait expressément les **ententes entre entreprises** qui favorisaient les processus de **concentration**. Toujours d'application, cette loi vise "every contract, combination, ... or conspiracy". Il s'agit donc d'**empêcher les ententes** qui, de propos délibéré, veulent porter atteinte à la liberté économique et à la libre concurrence.

Réponse 199

☞ A.

C'est en voulant participer au jeu des politiciens que les **syndicalistes** américains tombèrent sur plus fin qu'eux. **Divisés** et **peu crédibles**, ils n'eurent aucun succès dans leurs actions.

Réponse 200

☞ B.

C'est en utilisant le *Sherman Act*, qui condamnait les trusts, que le patronat mit **hors la loi** les syndicats. Il fallut attendre 1913 et le *Clayton Act* pour que cette interprétation soit interdite.

Réponse 201

☞ C.

C'est effectivement le **manque de liquidités** qui entrave le développement économique aux Etats-Unis au début du XXe siècle. La **création monétaire** est **difficile** dans la mesure où il n'y a pas beaucoup d'encaisses métalliques et est compliquée par la gabegie qui règne sur les marchés financiers. Plusieurs centaines de types de billets différents circulent sur le territoire des Etats-Unis et un nombre impressionnant de banques s'adonnent aux joies de la frappe monétaire. En 1913, Wilson décide que la masse monétaire ne doit plus seulement être liée au stock d'or mais aussi au papier commercial que la Banque fédérale acceptera d'escompter.

Réponse 202

☞ B.

Le **capital étranger**, principalement anglais, est **investi dans le secteur des chemins de fer** qui en reçoit 80%. Le montant des capitaux investis par les étrangers aux Etats-Unis représente deux fois le montant des investissements américains à l'étranger, alors que les Etats-Unis sont à l'époque la première puissance économique mondiale. Les capitaux anglais représentent 60% des crédits accordés aux Etats-Unis; les capitaux français ne représentent que 5,7% de ces mêmes crédits.

Réponse 203

☞ C.

Le **paiement des armes** livrées aux alliés en Europe se fait **en or**, et le stock fédéral des encaisses métalliques permet de gager l'émission de monnaie. En outre, cet afflux d'or permet d'assainir considérablement le système monétaire américain. **En 1918, les Etats-Unis possèdent 45% des encaisses métalliques mondiales.**

Réponse 204

☞ A.

Le *Clayton Act* ne fut pas abrogé. Par contre, les **lois anti-trust** furent, pour un temps, **rangées au vestiaire**. De même l'économie américaine subit ses premiers rationnements malgré le niveau de sa production. Celui-ci n'a jamais été aussi élevé. Tous les secteurs en profitent (construction navale, pétrole, sidérurgie, produits manufacturés, etc.). La valeur des exportations qui était de 1.510 millions de dollars en 1913, est de 5.187 millions de dollars en 1919.

Réponse 205

☞ A.

Le **secteur agricole** est **victime** de son bien-être et tombe dans les **crises de surproduction** qui resteront sa caractéristique jusqu'à la Deuxième Guerre mondiale. En **1920**, une crise de surproduction touche très fortement **les prix des céréales, qui tombent de près de 60%.** En 1925-1926, les symptômes de la surproduction réapparaissent. La concurrence de gros producteurs céréaliers (Canada, Argentine, Australie) se fait sentir alors que l'agriculture européenne renaît de ses cendres.

Réponse 206

☞ A.

La masse monétaire américaine se contracte à un tel point que l'économie est littéralement asphyxiée. En effet, **la masse monétaire diminue de 30%** en deux ans. La Federal Reserve Bank n'intervint pas sur le marché, suivant en cela la pensée économique prédominante qui n'évaluait pas l'ampleur des dégâts.

Les **prix de vente chutèrent** en 2 ans de **32%** aux Etats-Unis et la **production** de 1932 ne représentait plus que **54%** du niveau de production de juin 1929.

Réponse 207

☞ C.

Les **Etats-Unis** étaient **grands prêteurs** et, en rapatriant massivement les capitaux prêtés aux Européens, ils mirent l'ensemble des économies européennes en grande difficulté en créant, entre autres, un manque de liquidités. Toutefois, les signes de repli des économies européennes s'étaient déjà fait ressentir auparavant mais sans pour autant les plonger dans une crise sérieuse.

Réponse 208

☞ B.

La **crise de 1929** était une crise **de type déflatoire**, c'est-à-dire caractérisée par une chute générale des prix. Les prémices de la crise étaient pourtant visibles: la **surproduction** régnait notamment dans le secteur agricole et la construction automobile. **La crise démarra par un effondrement des valeurs boursières** qui chutèrent de 30% en une dizaine de jours. Elle se poursuivit par la suite et **la crise se caractérisa par une surproduction générale donnant lieu à des chutes de prix phénoménales**. Les crédits étant insuffisants et les prix se dégradant, bon nombre d'entreprises firent faillite. Le chômage s'accrut dès lors énormément. En 1931, on comptait pas moins de 40 millions de chômeurs parmi les pays les plus industrialisés. Rien qu'aux Etats-Unis, il y avait encore 8 millions de chômeurs en 1939, dix ans après le début de la crise.

Réponse 209

☞ A.

Entre 1929 et 1939, l'**Etat américain devint un acteur économique à part entière** et même prépondérant. C'est un changement radical dans la mesure où l'Etat était avant tout non interventionniste sauf pour la défense du système concurrentiel. On **passe** donc d'un capitalisme libéral **à un capitalisme mixte réglementé**. Le marché américain se replie sur lui-même durant cette période (1929-1939) tandis que le niveau de production de 1929 est malgré tout dépassé en 1939.

Réponse 210

☞ C.

Ce n'est pas pour placer leurs capitaux que les Américains proposèrent le **plan Marshall**. En effet, 30% des sommes distribuées le furent sous forme de **subventions** pures et simples. Par contre, l'outil de production américain manquait nettement de clients solvables. Alors que l'indice de production industrielle était de 109 en 1939, il est de 235 en 1944 et ne cesse de progresser depuis. La formidable machine industrielle américaine, qui a construit 90.000 chars, 300.000 avions, 2.500.000 camions, 8 millions de tonnes de navires de guerre et 54 millions de tonnes de navires marchands en cinq ans, doit absolument se reconvertir et le marché intérieur ne suffit plus. **Il faut donc créer un nouveau marché. Ce sera l'Europe.**

Réponse 211

☞ A.

C'est durant le premier mandat d'*Eisenhower* que les **avancées en matière sociale** sont les plus significatives: nouvelle législation sur le travail, extension de la sécurité sociale, etc. Cela n'empêchera pas l'émergence de problèmes avec les syndicats dans la mesure où le droit de grève avait été réduit (loi Taft-Hartley). Globalement, l'expérience Eisenhower donne des **résultats médiocres** puisque la croissance réelle du PNB est quasi nulle.

Réponse 212

☞ B.

A partir de 1961, les Etats-Unis sont frappés par une **récession** qui se termine à la fin de 1963, *J.-F. Kennedy* est déjà mort. L'**économie** n'est **pas au mieux**. Le **chômage** est **important**, les **difficultés financières** dues à l'intervention militaire au Viêt-nam commencent à peser et la **croissance** réelle est presque **négative**.

Réponse 213

☞ C.

Les **Américains** firent pression pour **empêcher** que les banques centrales des partenaires économiques ne demandent la **conversion en or** de leurs avoirs en **dollars**. Dans la plupart des cas, les partenaires des Etats-Unis s'inclinèrent, sauf quelques-uns comme la France en 1963 et 1966. Le montant des créances sur les Etats-Unis était passé de 17 milliards de dollars en 1960 à 60 milliards de dollars en 1971.

Réponse 214

☞ A.

La situation des Etats-Unis en tant que deuxième producteur mondial de pétrole après l'URSS fit que **les deux chocs pétroliers touchèrent les Américains avec beaucoup moins de force**. L'augmentation des prix du baril eut en outre un effet positif sur la rentabilité des champs pétroliers d'Alsaka. A un prix de 2 dollars le baril en 1972, ces champs étaient inexploitables; à un prix voisin de 30 dollars, cette exploitation devenait rentable.

Réponse 215

☞ B.

C'est l'accroissement des dépenses en armement qui est à la base de la reprise économique aux Etats-Unis. Entre 1981 et 1986, les dépenses en armement s'accroissent de 30%. Les **effets d'enchaînement** liés à la haute technicité des armements américains provoquent la mise en œuvre de **mécanismes multiplicateurs** qui sortent les Etats-Unis du marasme économique de la période Carter. La croissance peut enfin reprendre.

Réponse 216

☞ **B.**

C'est encore l'**agriculture** qui, de l'économie américaine, est **la plus mal lotie**. Les problèmes sont toujours identiques: la **surproduction** et le **manque de débouchés à l'exportation**.

La politique protectionniste de la CEE irrite fortement les Américains qui vendent leur production céréalière à l'URSS et à la Chine et même parfois à perte aux pays sous-développés. Ils distribuent également gratuitement une aide alimentaire aux pays les plus endettés. Washington protège donc son secteur agricole, tout comme la CEE, par des subventions et le soutien des prix agricoles. De plus, le gouvernement encourage les exploitants agricoles à diminuer leur surface cultivable par l'octroi d'indemnités.

Réponse 217

☞ **C.**

La croissance naturelle est à la base de l'accroissement considérable de la population des Etats-Unis. Bien que le taux de natalité ait diminué de 19,4 ‰ en 1965 à 15,7‰ en 1984, la population des Etats-Unis s'accrût au rythme naturel de 0,9 % par an entre 1965 et 1970, et de 0,7 à 0,8% depuis.

Entre 1966 et 1980, 6.293.000 immigrants légaux ont été accueillis aux Etats-Unis, et de 3 à 5 millions d'immigrants clandestins.

Les Etats-Unis comptaient près de 245 millions d'habitants en 1988.

Réponse 218

☞ A.

L'ère *Carter* fut principalement marquée par la **création de 11 millions d'emplois** en quatre ans, surtout dans le secteur tertiaire. Le mandat de Jimmy Carter se caractérisa par des problèmes de politique internationale (otages en Iran, invasion de l'Afghanistan, etc.). Cependant, **au niveau économique**, le bilan n'est pas catastrophique. Si la croissance est faible, **l'économie américaine se maintient** malgré la légère récession de 1980, laquelle est liée à l'augmentation des prix pétroliers.

Réponse 219

☞ B.

C'est le **cours très surévalué du dollar** qui mit en péril l'ensemble de l'économie mondiale, les Etats-Unis et les producteurs de pétrole exceptés. Les factures pétrolières devenaient de plus en plus lourdes à payer avec un dollar qui était passé de 7 FF en 1981 à 10,61 FF en septembre 1985. De même, le remboursement des prêts en dollars devint une charge très lourde pour bon nombre de pays, notamment européens mais surtout pour les Pays en voie de développement (PVD). C'est à cette époque que le **problème de la dette des PVD** est réellement posé, surtout depuis la banqueroute évitée de justesse par le Mexique en 1982.

Réponse 220

☞ C.

Les trois principaux secteurs qui ont servi la **croissance industrielle**, et plus encore le **renouveau industriel** américain, sont l'**énergie**, l'**informatique** et les **produits de synthèse**. L'informatisation est à la base de la mécanisation des systèmes de production, tandis que l'énergie est à la base des recherches de haute technologie, notamment en ce qui concerne le nucléaire. Les produits de synthèse à base de céramique, de titane, de métaux rares ou d'alliages nouveaux sont également à la base de l'utilisation de nouvelles technologies de pointe qui trouvent une application dans la conquête de l'espace par la navette spatiale.

Il est clair que d'autres secteurs de pointe, comme la **biotechnologie** entre autres, sont également à reprendre dans cette liste qui ne peut être exhaustive.

Réponse 221

☞ C.

Il y a une part de vérité dans les trois propositions mais le fait le plus flagrant vient de l'**élimination progressive des plus âgés** de ce type de secteur. Trouver des jeunes qualifiés et prêts à se recycler constamment est encore possible mais il est difficile d'exiger des plus âgés ou des personnes peu qualifiées de s'adapter constamment (de manière quasi continue) à de nouvelles conditions de travail et à de nouvelles technologies.

Les secteurs de haute technologie en forte croissance participent donc à l'exclusion d'une bonne partie de la population active de l'économie. Ce n'est pas le secteur tertiaire qui peut facilement absorber ces nouveaux sans-travail.

Réponse 222

☞ A.

C'est **la volonté centralisatrice de *Bismarck*** qui fut à la base de l'**adoption du mark comme monnaie impériale**. Le mark fut rattaché à l'or et le système financier fut complété par la transformation de la Banque royale de Prusse en banque centrale, la Banque de l'Empire, qui parviendra à évincer les autres banques d'émission. Il ne reste, en effet, que quatre banques d'émission en 1914 pour 33 en 1871.

Réponse 223

☞ C.

Bismarck, qui fut chancelier de 1871 à 1890, fut à la base de l'instauration d'une des **législations sociales** les plus avancées de l'époque. Les **assurances-maladie** (1883), **contre les accidents** (1884) et la **vieillesse** formaient le corps principal de cette législation, qui permit effectivement de détendre la situation sur le "front" social.

Réponse 224

☞ C.

Les raisons du **décollage allemand** à partir de 1870 et jusqu'à la crise économique de 1873 sont multiples. L'**unification des Etats allemand**s, le **dommage de guerre** de 5 milliards de francs français versé par la France et l'**acquisition de l'Alsace et de la Lorraine** sont à la base de cet essor. Les Etats allemands acquittent leurs dettes et la circulation monétaire s'accroît de 15%.

Réponse 225

☞ B.

La **réponse de l'Allemagne à la crise de 1873** fut un **retour vers le protectionnisme.** Ce retour se fit sous la pression de diverses associations d'industriels, elles-mêmes regroupées au sein de la Ligue centrale des industriels, qui vit le jour en 1876. L'exaltation du travail national est le thème majeur de la campagne orchestrée auprès de la presse et par certains parlementaires.

Réponse 226

☞ A.

Les **Allemands**, au contraire des Anglais, utilisèrent très rapidement et de manière systématique des **commis voyageurs** qui parlaient la langue du cru. Cela leur donna un avantage prépondérant dans la conquête de nouveaux marchés à une époque où la productivité des deux pays était plus ou moins équivalente.

Réponse 227

☞ A.

L'hyperinflation allemande qui fait ravage durant les années 1920 à 1923 provoqua une **perte incroyable de pouvoir d'achat du mark allemand.** Le dollar, qui valait 84 marks allemands en 1920, valait plus de 4 milliards de marks en 1923. Les agriculteurs furent parmi ceux qui subirent le moins les effets de l'hyperinflation grâce au retour au troc dans les échanges.

Réponse 228

☞ B.

Le *plan Dawes* est un plan d'origine anglaise qui visait à **régler la question des réparations allemandes** pour dommages de guerre. Ces réparations, en enlevant la possibilité à l'Allemagne de rassembler les capitaux nécessaires à la reconstruction de l'économie allemande, provoquèrent les troubles sociaux et en partie l'hyperinflation. Ces événements menèrent l'Allemagne au bord de la banqueroute et provoquèrent l'avènement d'Hitler à la chancellerie. La **fin des réparations,** trop tardive, permit cependant à l'économie allemande de se redresser moyennant un contrôle très étroit de la masse monétaire.

Réponse 229

☞ A.

L'**hyperinflation allemande** autorisa un processus de **concentration** via le mécanisme simple de la **faillite-rachat**. Ce processus fut surtout visible au niveau bancaire, dans les mines, la sidérurgie, ou encore la chimie. La concentration provint surtout de la **Ruhr** et avantagea d'autant plus cette région. Cet état de choses provoqua un décalage croissant entre la Ruhr et les autres régions allemandes.

Réponse 230

☞ B.

Les **agriculteurs** sont les principaux **bénéficiaires de l'accession au pouvoir d'**Hitler**. L'exaltation de la paysannerie est un des thèmes majeurs de la propagande hitlérienne. Cela s'accompagne de mesures telles que l'inaliénation des terres de moins de 125 hectares.

Le patronat, même s'il est plus puissant, perd cependant de son autonomie.

Réponse 231

☞ C.

La population active allemande a diminué de 2,5 millions d'unités entre 1936 et 1946. Par contre, l'outil de production que l'on pouvait croire complètement détruit est moins endommagé que prévu. De plus, le fait que les ouvriers consentent à des réductions de salaire — la masse salariale ne représente plus que 40,6% du produit social en 1955, contre 42,2% en 1949 — permet à l'Allemagne de retrouver son niveau de production de 1938 en 1950.

Réponse 232

☞ A.

La **démographie allemande** est une des **variables clés de la production** et du système économique. L'Allemagne des débuts, le *"Zollverein"*, ne compte que 26 millions d'habitants en 1853. Malgré l'émigration vers les Etats-Unis et le Brésil (2 millions entre 1871 et 1890), l'Allemagne compte 60 millions d'habitants en 1939 et 66 millions en 1946. Elle représentait encore il y a peu 61 millions d'habitants pour la RFA et 17 millions d'habitants pour la RDA, soit un total de **78 millions** d'habitants, qui forment aujourd'hui l'**Allemagne unifiée**. A tout moment de l'évolution économique allemande, la population forme une force de travail dont ne dispose aucun autre pays européen industrialisé.

Réponse 233

☞ **A.**

La **diminution du marché intérieur** due à la division en deux de l'Allemagne oblige les industriels allemands à se réorienter vers l'**exportation,** alors que le pays est traditionnellement protectionniste. Depuis la fin de la guerre, la balance commerciale allemande est d'ailleurs régulièrement en surplus.

Réponse 234

☞ **B.**

Les **stratégies** adoptées par les entreprises ouest-allemandes depuis les deux chocs pétroliers ont consisté à **délocaliser leurs unités de production en les implantant dans les pays où le coût de la main-d'œuvre est plus faible**. C'est notamment le cas de Rollei, qui implanta ses industries à Singapour. On assiste également à la prise de participation iranienne dans le capital de Krupp, aux accords Volkswagen-Nissan, etc.

Réponse 235

☞ **A.**

Le **secteur agricole** de l'ex-RDA fut largement **défavorisé par le manque de main-d'œuvre**, pour des raisons évidentes, mais également par le manque et la vétusté du matériel et les embûches de la réforme agraire (collectivisation des terres). Le démarrage fut difficile (rationnement de la viande jusqu'en 1965) mais l'évolution fut favorable, notamment avec une production de 10 millions de tonnes en 1982.

Réponse 236

☞ C.

L'**ex-RDA** a largement bénéficié des **relations commerciales** qu'elle a nouées avec les pays du **COMECON**. Elle a pu importer du pétrole d'Union soviétique tandis qu'elle exportait des potasses et de la lignite vers les pays du COMECON (CAEM).

Réponse 237

☞ B.

Les *shoguns Tokugawa* **fermèrent complètement leur pays pour maintenir leur puissance**. Interdiction était faite aux étrangers d'entrer au Japon et aux Japonais d'en sortir sous peine d'être exécutés à leur retour. Ils imposèrent de surcroît un véritable **immobilisme au niveau tant de l'innovation que de la mobilité sociale**. Il était impossible de changer de caste et les innovations étaient condamnées. En agriculture, les paysans n'étaient même pas libres du choix de leur culture.

Réponse 238

☞ A.

Les *shoguns Tokugawa* **imposaient la présence des daïmiôs dans la capitale** *Edo* et d'énormes dépenses fastueuses. A leur départ, les daïmiôs devaient laisser leurs femme et enfants à Edo. Ce système, baptisé le *Sankin Kotaï*, était très **dispendieux** et **affaiblissait** considérablement les **daïmiôs**, qui n'avaient plus les ressources suffisantes pour développer leur puissance militaire.

Réponse 239

☞ C.

Deux **castes** de grands **marchands** émergèrent de la

période des Tokugawa. D'une part, les **daïmiôs** et les **samourais** qui refusaient l'oisiveté de la cour d'Edo et se lancèrent dans les affaires et, d'autre part, les **marchands**, comme Mitsui, qui s'enrichirent constamment et s'imposèrent à la noblesse en rachetant des titres de samouraïs.

Réponse 240

☞ C.

Le 8 juillet 1853, les **vaisseaux** de guerre américains commandés par le *commandant Perry* pénétrèrent de force dans la baie d'Edo, capitale du Japon. La menace américaine aboutit à un traité signé le 31 mars 1854 qui ouvrait deux ports aux Américains. Il n'y eut pas de concession territoriale comme ce fut le cas pour la Chine, mais les **ports** furent bientôt plus nombreux à être **ouverts aux pays industrialisés**.

Le Japon bénéficia de son manque d'attrait: il ne possédait pas de richesses minières ni de matières premières et n'attisa donc pas la convoitise des grandes nations coloniales.

Réponse 241

☞ A.

La **réforme fiscale** qui frappa les **paysans** fut un véritable **désastre** qui provoqua de nombreuses révoltes dans leur rang. L'impôt, qui était auparavant perçu sur la récolte, était perçu sur la valeur de la terre. En cas de mauvaise récolte, les paysans étaient incapables de payer cet impôt foncier. Une bonne partie des terres passa ainsi aux mains des usuriers entre 1872 et 1890. A titre d'exemple, **360.000 familles vendirent leurs terres** entre 1883 et 1890, incapables de payer l'impôt.

Réponse 242

☞ A.

Le système du *Sankin Kotaï*, conçu pour contrôler les seigneurs, eut pour conséquence de permettre le **développement d'une caste de riches marchands** chargés de commercialiser les revenus en riz des daïmiôs. Ces riches marchands furent les grands bénéficiaires du *Sankin Kotaï* et formèrent la base de la classe industrielle.

Réponse 243

☞ B.

La **monétarisation** progressive du système économique japonais passa par le **paiement monétaire de l'impôt foncier** alors qu'auparavant ce paiement se faisait en nature. Ceci eut pour conséquence de pousser les paysans à s'orienter vers des cultures spéculatives et non des cultures d'autosuffisance.

Réponse 244

☞ B.

Le **handicap** principal du Japon était le **manque de capitaux**. Les capitaux privés étaient trop rares pour permettre le développement des industries lourdes et **l'Etat dut se substituer au privé**. Il utilisa l'impôt, l'épargne et l'inflation pour permettre le financement d'usines métallurgiques, d'industries textiles et d'industries de construction navale.

La main-d'œuvre fut tirée des campagnes et fut rapidement formée, tandis que les techniques furent entièrement empruntées à l'étranger.

Réponse 245

☞ C.

En 1881, **une grave crise inflationniste obligea l'Etat japonais à se désengager du secteur industriel**. Pour maîtriser l'inflation, il récupéra la monnaie en circulation en vendant les industries à perte et en pratiquant une politique déflationniste. Si l'opération fut une mauvaise affaire pour l'Etat, les grands **groupes familiaux** (*Zaîbatsus*) en furent les grands **bénéficiaires**.

Réponse 246

☞ A.

La **victoire** sur la **Chine** permit aux Japonais de résoudre les problèmes financiers qui étaient les leurs en réclamant une forte **indemnité de guerre**. Quelques années plus tard (1899), les Japonais obtinrent la suppression des "traités inégaux" signés avec les puissances coloniales.

Réponse 247

☞ C.

Les **matières premières** étaient un souci constant pour les Japonais (encore aujourd'hui) et leur victoire sur la Russie, en les mettant à la tête d'un empire, leur permit de trouver dans leurs nouveaux territoires les matières premières et les produits agricoles dont ils manquaient.

Réponse 248

☞ C.

En 1914, **le transport des marchandises asiatiques était assuré à 50% par la marine japonaise**; en 1918, c'était 80% des marchandises qui transitaient par la marine japonaise.
La Première Guerre mondiale fut, globalement,

bénéfique pour le Japon, excepté en ce qui concerne la crise de 1920-1921. Le Japon put augmenter ses parts de marché en Asie et put fournir les Alliés en équipements militaires et en transports navals. La production industrielle quintupla durant la seule année 1916.

Au sortir de la guerre, **le Japon était devenu créancier des pays belligérants.** La crise de 1920 fut la conséquence des pertes de production engendrées par le retour des pays belligérants sur les différents marchés. En un an, la production industrielle baissa de près de 40%.

Réponse 249

☞ C.

Les nations occidentales ne furent pas envahies par une mode japonaise. Par contre, il est certain que la frugalité des habitants ne leur permit pas de développer un marché intérieur suffisant pour offrir des débouchés à leurs industries. De même, l'**absence quasi totale de matières premières** obligea les Japonais à exporter pour pouvoir en importer.

Réponse 250

☞ C.

Les autorités économiques japonaises, plus éclairées que leurs consœurs occidentales, mirent en application un **plan de redressement basé sur l'intervention étatique et le crédit à faible taux d'intérêt.** A partir de 1933, l'indice de production remonte considérablement. Hélas, les germes de la militarisation étaient dans le fruit.

Réponse 251

☞ A.

La **crise de 1929** va permettre une spectaculaire avancée des *Zaîbatsus* qui vont reprendre bon nombre de petites entreprises en difficulté. On assiste à la véritable **naissance des grands groupes industriels** qui aujourd'hui dominent le monde économique.

En 1930, les cinq plus grandes banques japonaises regroupait 26% des dépôts. La production industrielle est aux mains des grands groupes.

Ce processus de concentration sera par après entretenu par l'Etat qui obligera à la concentration des entreprises.

Réponse 252

☞ A.

Au Japon, deux **clans opposés** s'affrontent: **les militaires imposent aux industriels le développement d'une industrie lourde au détriment de la production** des biens pour les civils. En 1936, la production de fonte est de 2 millions de tonnes par an, elle est de 7 millions de tonnes en 1942.

Cette croissance se fait au détriment de l'**industrie textile** qui, depuis le début, était la plus puissante. Alors qu'en 1931, l'industrie textile employait 50,4% des ouvriers travaillant dans des entreprises de plus de 5 ouvriers, cette part tombe à 35,2% en 1937.

Réponse 253

☞ C.

En 1946, les Américains imposent la **loi eugénique de contrôle des naissances**. En effet, le problème de l'accroissement de la population devient inquiétant. De 27 millions d'habitants en 1846, les Japonais sont passés à 73 millions en 1941. L'afflux des réfugiés des territoires perdus rend le problème encore plus aigu.

Grâce à la loi eugénique, qui autorise l'avortement et la stérilisation, le taux de natalité passe de 39,4‰ à 17,2‰ en 1957.

Réponse 254

☞ C.

Habitués des interventions étatiques, les Japonais entament la **reconstruction** encore une fois **grâce aux dépenses publiques**. A cette fin, 60% des investissements sont réalisés par l'Etat. Le niveau de production industriel de 1937 ne sera atteint qu'en 1954.

En effet, **le Japon sort véritablement abattu de la Seconde Guerre mondiale** : 80% de la flotte est détruite, ainsi que 75% des raffineries de pétrole, 30% des centrales thermiques, 15% des aciéries, etc.

Dès 1946, l'économie se redresse mais dérape vers une inflation dangereuse. Le plan d'austérité de H.J. Dodge est alors adopté. Le dérapage inflatoire est maîtrisé notamment par le contrôle des salaires.

Réponse 255

☞ A.

C'est la guerre contre la Corée qui permet au Japon de retrouver sa complète indépendance grâce au traité de San Francisco de 1951.

Encore une fois, une guerre dans laquelle les Japonais ne sont pas directement impliqués leur permet de relancer leur économie. Après la guerre contre la Chine (1895), contre la Russie (1905) et la Première Guerre mondiale, les Japonais bénéficient des commandes militaires des alliés durant la guerre de Corée (1950-1952).

Réponse 256

☞ B.

La **métallurgie japonaise** bénéficia largement de sa **position en bord d'océan,** qui lui permettait d'embarquer les cargaisons directement sur les navires et inversement de débarquer presque à même l'usine les matières premières. De plus, à cause de leur localisation, les **synergies entre la métallurgie et les constructions navales** étaient évidentes et permettaient de défier la concurrence des autres métallurgies mondiales.

L'outil métallurgique n'avait pas été le plus affecté par la Seconde Guerre mondiale et était l'un des plus performants au monde.

Réponse 257

☞ C.

Les problèmes d'**approvisionnement en pétrole** dus à la coupure du *canal de Suez* permirent aux Japonais de se lancer dans la construction des superpétroliers qui contournaient le cap. A la fin des années soixante, l'industrie navale japonaise représentait le tiers de la production mondiale.

Réponse 258

☞ A.

C'est le **secteur de la sous-traitance qui permit d'amortir le choc des différentes crises.** L'économie japonaise était, et est encore, très dualiste. A côté des Zaîbatsus, grands groupes industriels, cœxistent l'ensemble des petites entreprises familiales spécialisées dans la sous-traitance. Ce sont ces petites entreprises qui subirent les crises de plein fouet en permettant aux grandes entreprises de s'adapter aux nouvelles conditions de l'économie.

Réponse 259

☞ A.

Les **salaires japonais** ont progressivement rattrapé les salaires des autres pays industrialisés. Malgré l'abondance de la main-d'œuvre qualifiée, l'augmentation de la productivité des ouvriers japonais permit des augmentations salariales consistantes.

Au rythme de croissance de 1% par an, la population japonaise, qui était de 73 millions en 1945, passa à 122 millions en 1987.

Réponse 260

☞ A.

Les *Keiretsu* sont en effet des **conglomérats d'entreprises** à forte participation croisée. Les ancêtres des groupes financiers et industriels actuels étaient appelés les *Zaîbatsus*, groupes d'origine familiale, qui ont été officiellement dissous en 1945-1946.

Réponse 261

☞ B.

L'Etat permettait un **amortissement de 60%** dans la première année **pour certains investissements**. L'aide financière était accordée aux entreprises d'avenir, les canards boiteux étant automatiquement condamnés.

Réponse 262

☞ C.

Le **budget japonais est modeste en pourcentage du PNB** mais imposant en valeur absolue et est surtout consacré aux dépenses d'infrastructures (portuaires, ferroviaires) plutôt qu'à des dépenses sociales.

Réponse 263

☞ C.

Les *Sogo Shaga* sont les **sociétés de commerce** sur lesquelles se reposent les grands groupes industriels pour assurer leurs **relations** et les **ventes à l'étranger** ou même à l'intérieur du pays. Les *Sogo Shaga* ont joué un rôle essentiel dans l'après-guerre pour reconstituer les réseaux commerciaux et assurer l'approvisionnement en matières premières.

Ces **firmes** jouent aussi le **rôle** de **banquier** en faisant des avances sur contrats et interviennent dans les investissements japonais à l'étranger. Ces sociétés tentaculaires ont joué un rôle essentiel dans le développement économique japonais.

Réponse 264

☞ B.

L'emploi à vie se généralisa à partir de 1920 pour fixer les travailleurs salariés sur place. Une série de mesures accompagnaient d'ailleurs cet emploi à vie, salaire à l'ancienneté, allocation-retraite, mesures sociales diverses.

Réponse 265

☞ C.

Les premières tentatives de **fixation des ouvriers** datent du début des années **1890**. Pour empêcher les ouvriers qualifiés, rares à l'époque et de ce fait très mobiles, de quitter les entreprises, l'emploi à vie commença à être envisagé. Les ouvriers s'entendirent offrir des prêts sur salaires, des salaires uniformes, des primes d'assiduité, etc. pour se fixer définitivement dans une firme. A partir du début du siècle, c'est aussi pour contrer les syndicats et favoriser l'intégration de leurs ouvriers que l'emploi à vie se répand.

Réponse 266

☞ C.

La planification japonaise date de 1949, date à laquelle l'Agence de la Planification fut créée. Le premier plan date de 1951. L'originalité de la planification japonaise est que **l'industrie elle-même contribue directement et fortement à l'élaboration de ce plan**. Par rapport à d'autres plans, celui du Japon a été celui qui a le plus sous-estimé le potentiel de la nation. En 1967, les réalisations prévues pour 1970 étaient déjà atteintes voire dépassées.

Réponse 267

☞ C.

En 1929, 12.000 demandes d'emploi ne sont pas satisfaites rien que pour le mois de novembre. Le **plein-emploi est atteint**. Mais une ombre se glisse au tableau: **la productivité est très faible** dans certains secteurs qui souffrent de la concurrence étrangère. Cela se traduit directement dès que le franc français se stabilise. Les secteurs textile, automobile, sidérurgique compensent difficilement la diminution de leurs exportations due à la stabilité du franc français. Depuis 1922, la croissance française a été stimulée par la faiblesse du franc.

Réponse 268

☞ A.

La **construction électrique française** n'existe encore que sous forme de petites unités de production qui ne sont guère productives. De plus, **elle dépend des**

brevets allemand, belge, nord-américain et **suisse**. Elle est donc fragile et peu rentable. Mais ce secteur se développe pour répondre à la demande et Thomson Houston est créé en 1893, bientôt suivi par la création de la Compagnie générale d'électricité (1898).

Réponse 269

☞ B.

Saint-Gobain **bénéficie** pleinement du **développement du secteur automobile et de la construction** pour asseoir sa suprématie européenne dans le domaine du verre. Dans l'entre-deux-guerres, Saint-Gobain détient 30% du marché européen grâce au dynamisme de l'industrie automobile française.

Réponse 270

☞ B.

Les **symptômes** de la **récession** sont déjà présents en 1929: **chute des prix de gros, diminution du montant global des dépôts, augmentation du nombre de faillites, hausse du chômage partiel**. La France vit dans une illusion trompeuse de croissance qui marque les années 1928 à 1930. La crise américaine ne touche cependant la France qu'à la suite de la défiance qui succède aux krachs de l'Europe centrale et à la crise bancaire en France.

Réponse 271

☞ A.

La France doit attendre 24 ans (1953) pour retrouver son niveau de production de 1929. La crise commençait seulement à se résorber lorsque la guerre éclata. Mais les années d'après-guerre sont pénibles et la reconstruction est difficile. Il faut attendre 8 ans après la guerre pour voir l'économie française se tourner résolument vers la croissance.

Réponse 272

☞ C.

Dans l'entre-deux-guerres, la **mentalité du patronat** est très **craintive** vis-à-vis de la **croissance**. La peur de la surproduction, phénomène typiquement américain, le retient d'agrandir les unités de production et ceux qui le font vont donc à contre-courant. La plupart des **entrepreneurs** français se centrent trop sur leur **marché intérieur** sans envisager une politique agressive à l'exportation. Les séries de production sont donc trop limitées pour concurrencer la productivité des Etats-Unis. Alors que les Etats-Unis produisent 4.795.000 véhicules en 1929, la France n'en produit que 253.000 unités pour la même année.

Réponse 273

☞ C.

Jusqu'en 1939, la **recherche française** est largement **bipolaire**. D'un côté, les **laboratoires** français à la pointe de domaines comme la recherche atomique sont tout à fait **coupés des exigences industrielles**. De l'autre côté, la recherche industrielle ne se centre que sur des problèmes opérationnels immédiats. Le manque de dialogue empêche la France de bénéficier de ses avantages: la France compte autant d'étudiants universitaires et sortant de grandes écoles que l'Allemagne avec une population nettement inférieure.

Réponse 274

☞ A.

A la différence du patronat américain, qui distribue rapidement les fruits de la productivité, le **patronat français "de droit divin" refuse de favoriser la demande par la distribution de nouveaux revenus**. Il saborde systématiquement les options prises par L. Blum. Il en résulte une fuite de capitaux qui provoque un affaiblissement de la monnaie française et finalement la dévaluation de 1936. L'économie s'affaiblit et les grèves se déclenchent. En juin 1937, le gouvernement du Front populaire démissionne.

Réponse 275

☞ A.

C'est principalement la **production d'énergie** qui **fait défaut** en France. De même, la **paralysie des transports** empêche également le développement de l'économie. Aucun port de mer, Cherbourg excepté, n'est opérationnel.

Pour faire augmenter la production de charbon, l'Etat accepte d'augmenter les salaires des mineurs, de leur fournir des suppléments alimentaires et de leur garantir un relèvement de la retraite.

Réponse 276

☞ C.

A la fin de la Seconde Guerre mondiale, le **déficit commercial** de la France à l'égard des Etats-Unis s'élève à 1.490 millions de dollars. Pour solder cette dette, la France se résigne, d'une part, à **se séparer de 600 tonnes d'or** sur le stock de 1.500 tonnes qu'il lui restait et, d'autre part, à **réquisitionner les avoirs français à l'étranger**.

Réponse 277

☞ A.

C'est l'**aide américaine** qui permet à la France de ne pas sombrer dans la misère. Un **don** de **1.600 millions de dollars** est fait par les Etats-Unis. Ces derniers prêtent en outre à la France pas moins de 900 millions de dollars à des conditions fort avantageuses (0,37% d'intérêt). De son côté, l'Angleterre prête également 1 milliard de dollars à la France à un taux de 0,5% remboursable en 50 ans.

Réponse 278

☞ B.

La **dévaluation** du 25 décembre 1945 **ne suffit pas**. La masse monétaire qui s'est nourrie de la très forte augmentation des salaires est encore trop importante. Le dollar se négocie officiellement à 119 FF mais, sur les marchés parallèles, il vaut 213 FF.

Le **plan** de *Pierre Mendès France*, qui aurait peut-être permis d'éviter cette situation, venait cependant d'être **rejeté**. Le *général de Gaulle* s'y était opposé dans un premier temps au nom des sacrifices déjà consentis par la France. Il avait alors confié le ministère des Finances à Aimé Lepercq, puis à René Pleven après la mort de Lepercq. Ceux-ci par la timidité de leur action ne purent enrayer l'inflation qui allait handicaper l'économie française pour la décennie suivante, l'inflation devenant le mal chronique de l'économie française.

Le plan de Pierre Mendès France était très courageux mais difficile à mettre en œuvre. Il suggérait le blocage partiel des comptes et l'échange contre de nouveaux billets. Une somme uniforme de 5.000 FF serait distribuée, le reste étant bloqué sur les comptes en banque pour 75% de leur valeur.

Réponse 279

☞ A.

C'est le **plan** plus global de *Mendès France* qui est à la base du *plan Monnet*, lequel voit le jour en 1946. Mendès France avait proposé la création d'une planification d'ensemble et la création d'une Direction du plan. Jean Monnet, de retour des Etats-Unis, défend ce projet devant le général de Gaulle. **La planification française voit le jour et englobe pour la première fois l'ensemble de l'économie française.**

Réponse 280

☞ A.

La **France** sort de la guerre très **amoindrie** et notamment en ce qui concerne la main-d'œuvre. Le **renvoi** chez eux des **500.000 prisonniers allemands** et de 40.000 mineurs polonais **provoque un déficit** qu'il faut immédiatement combler sous peine de voir l'économie s'effondrer à nouveau. On fait venir en France 200.000 étrangers d'origine européenne, surtout italienne, et 100.000 Nord-Africains.

Malgré la loi des 40 heures, instaurée en 1937 par le gouvernement Blum, le recours aux heures supplémentaires est malgré tout nécessaire. Les travailleurs prestent régulièrement 43 heures/semaine.

Réponse 281

☞ B.

L'*EDF* est le principal **bénéficiaire** de l'aide qui provient du *plan Marshall*. L'EDF reçoit directement 22% des sommes versées à ce titre. Par ailleurs, les charbonnages bénéficient de 14% de ces sommes et la SNCF de 5%.

Réponse 282

☞ A.

La France n'a, à aucun moment, privilégié la **concentration industrielle** nécessaire pour pouvoir bénéficier des avantages liés à la production de masse. La rentabilité et la productivité ont été négligées. L'outil de production ressemble très fort à celui qui existait avant la guerre. La **vétusté de l'outil de production** apparaîtra donc plus vite en France que dans les pays concurrents.

Réponse 283

☞ B.

L'**accroissement des dépenses militaires** du fait de la signature du **Pacte atlantique** est à la base d'une demande accrue de matières premières qui va provoquer une hausse du prix de celles-ci. L'**inflation** qui en résulte met en danger les acquis obtenus entre 1947 et 1949. La stabilité relative des années 49-50 est mise en danger.

Réponse 284

☞ A.

La **guerre de Corée** sera à la base de la **relance de l'inflation.** Alors que le Japon et les Etats-Unis maîtrisent le niveau de leurs prix, l'économie française dérape et l'accroissement de la production ne parvient pas à compenser la hausse du prix des matières premières. L'**inflation réapparaît à cause de l'augmentation des coûts de production et en raison d'une augmentation de la consommation nationale.** Celle-ci est due à l'accroissement des salaires. Elle provoquera une croissance des importations qui détériorera le solde de la balance commerciale.

Réponse 285

☞ C.

La **politique** traditionnelle du *gouvernement Pinay* n'aboutit pas aux résultats attendus. L'amnistie fiscale et les conditions de l'emprunt Pinay vont provoquer une évasion fiscale sans précédent, alors que l'emprunt est lui-même fort coûteux. En outre, en 1951, Pinay décide de diminuer les dépenses gouvernementales de 3,5%. **L'ensemble de ces mesures provoque une réduction de l'activité économique,** une retombée des exportations et un déficit budgétaire important. Le mythe du magicien financier Pinay n'est donc pas vraiment fondé.

Réponse 286

☞ A.

Les **agriculteurs français**, qui étaient à l'abri des déboires de l'économie française en raison des pénuries, essayent de provoquer **artificiellement** des **pénuries** pour soutenir les prix dès que l'économie sort de l'impasse économique et que le spectre des pénuries s'estompe.

Réponse 287

☞ B.

La **baisse de la consommation** met en lumière la **fragilité de tout le secteur artisanal** en France, du petit commerçant au producteur de chaussures en passant par le petit artisan.

Tout ce **secteur** se révèle **inadapté** du fait de son manque de productivité et de rentabilité. Les petits commerçants affrontent les grandes surfaces; les producteurs de chaussures et l'industrie textile sont confrontés à la **concurrence internationale**; les petits artisans ne peuvent faire face à la modernisation des grandes entreprises. Jusqu'en 1956, le malaise de tout ce secteur sera un des aspects essentiels du paysage économique français.

Réponse 288

☞ B.

Le **secteur de la construction** ne parvient pas à satisfaire les besoins en logements entre 1949 et 1954. Malgré une prime à la construction et des prêts hypothécaires à taux réduits institués à partir de 1950, il n'y a que 350.000 habitations construites entre 1948 et 1952. Les revenus de la cotisation patronale de 1% sur les salaires sont réaffectés à la construction de logements à partir de 1953. Ils permettront la construction d'un million d'habitations. Mais la **crise du logement** n'est pas résolue pour autant. La demande est encore loin d'être satisfaite.

Réponse 289

☞ A.

La **guerre d'Algérie** va permettre au **secteur textile** et au **secteur de la chaussure** de **sortir** de la **récession** dans laquelle ils se trouvent en raison de la concurrence internationale. Les dépenses militaires s'accroissent de 30% en 1956 et de 15% en 1957.

Réponse 290

☞ B.

L'**économie française** qui souffre d'un **manque chronique de main-d'œuvre** est déforcée par le rappel sous les drapeaux de 500.000 hommes. Il s'ensuit une diminution de l'offre. De plus, les coûts de production augmentent du fait de la raréfaction de la main-d'œuvre. Les salaires croissent de 12% sur la seule année 1956, et de 12,7% en 1957.

Réponse 291

☞ B.

La **création** du **franc lourd** est principalement une **mesure psychologique** d'accompagnement de mesures plus drastiques. Le franc est dévalué de 17,5%. L'ensemble des mesures prises est destiné à juguler l'inflation. A cette fin, l'augmentation annuelle des salaires dans les services publics est limitée à 4%.

Réponse 292

☞ B.

La **politique** du *général de Gaulle* est de provoquer des gains de productivité dans l'industrie et une **amélioration de la compétitivité en ouvrant largement les frontières françaises à la concurrence.** La France était, depuis la fin de la guerre, l'un des pays les plus protectionnistes parmi les grands pays industrialisés. En 1959, on décide de libérer 90% du commerce avec les pays européens et 50% du commerce avec les pays de la zone dollar.

Réponse 293

☞ B.

L'agriculture double sa production entre 1946 et 1974, le tout sur une superficie cultivée inférieure de 10% et avec une diminution de 4 millions d'agriculteurs (7 millions en 1946, 3 millions en 1974). Ceci illustre combien les gains de productivité ont été conséquents. Toutefois, **la production agricole s'est accrue deux**

fois moins vite que celle de l'industrie et des services.
La part de l'agriculture dans le PIB est de 5% en 1974,
alors qu'elle était de 17% en 1946.

Réponse 294

☞ C.

La politique de **Jacques Chirac** jusqu'à 1976 ménage la
chèvre et le chou du fait de la poussée de la gauche. Les
dépenses sociales sont augmentées pour atténuer les
effets de la crise. La démission de Jacques Chirac en
1976 permet à **Raymond Barre** de développer une **politique économique réellement libérale**. Les canards
boiteux sont abandonnés à leur sort, les crédits devien-
nent plus difficiles à obtenir de manière à réduire la
consommation et les entreprises sont libérées d'un certain nombre de contraintes tant sociales qu'économiques. Le bilan de cette politique est très contrasté:
l'inflation demeure à deux chiffres et le chômage passe
la barre des 2 millions. Par contre, **la France retrouve
un franc fort, le budget est à l'équilibre et la balance
commerciale également.**

Réponse 295

☞ B.

La France **importe 75% de ses besoins énergétiques**.
Cette proportion est nettement supérieure à celle des
grands concurrents de la France, comme les Etats-Unis,
la Grande-Bretagne, l'Italie, la Suisse, les Pays-Bas. Le
Japon, qui importe 90% de ses besoins pétroliers, s'est
adapté beaucoup plus vite que les autres pays et l'Allemagne de l'Ouest exploite encore des charbonnages.
Le choc a été quelque peu atténué par la bonne tenue du
franc français par rapport au dollar durant la période

1973-1980. Mais par après, la hausse des prix pétroliers se conjugue avec un renchérissement du dollar par rapport au franc français. On atteint même les 10,61 francs français pour un dollar en 1985. Ceci alourdit bien entendu la facture pétrolière. Ces éléments sont à la base du choix français de développement de l'énergie nucléaire. Avec la Belgique, la France est le pays qui produit la plus grande partie de son énergie (70%) grâce au nucléaire.

7

Faits, histoire et théories économiques

Question 296

De quoi *Colbert* (1619-1683) a-t-il été le père:
- A. de la manufacture d'Etat ?
- B. de la parcellisation des terres de culture ?
- C. du regroupement des terres de culture ?

Question 297

Quel était le **contenu** du *"Navigation Act"* anglais de 1651:
- A. cette loi postulait la liberté totale de commerce maritime entre l'Angleterre et les autres pays du monde ?
- B. cette loi impliquait que les marchandises ne pouvaient pénétrer dans les ports anglais que sur des navires anglais ou des bateaux battant pavillon du pays d'origine de ces marchandises ?
- C. cette loi obligeait tous les navires ne battant pas pavillon anglais à payer un droit portuaire pour pouvoir jeter l'ancre dans un port anglais ?

Question 298

Parmi ces 3 noms, quel est celui de l'homme qui fut **l'inspirateur** des **accords** de *Bretton Woods* (1944):
- A. H. D. White ?
- B. J. M. Keynes ?
- C. B. Woods ?

Question 299

Quel a été un des **effets** les plus rapides de la **création** du *Marché commun*:
- A. la demande d'adhésion de l'Angleterre, qui fut

rejetée à la suite de l'intervention du général de Gaulle ?

B. la suppression des restrictions quantitatives entre les pays membres du Marché commun ?

C. la réduction de 10% des droits de douane au sein des pays du Marché commun ?

Question 300

Parmi ces trois suggestions, quel **événement** économique et politique important a eu lieu le **5 juin 1947**:

A. le général Marshall propose le plan de redressement économique qui portera son nom ?

B. Robert Schuman propose la création de la Communauté européenne du charbon et de l'acier (CECA) ?

C. la France nationalise ses banques, la Banque de France d'abord, mais également quatre autres grandes banques ?

Question 301

Quelle fut la **conséquence** de la **guerre** économique et militaire que se livrèrent la **Chine** et l'**Angleterre** à propos de l'opium entre 1840 et 1842:

A. les Anglais profitèrent de ce conflit pour s'emparer de Hong Kong, qui fut cédée par traité en 1843 ?

B. les Anglais pratiquèrent un blocus naval qui eut pour effet la réouverture de la route de la soie ?

C. les Anglais provoquèrent chez eux une crise économique de nature inflatoire ?

Question 302

Comment la société *Citroën* put-elle **sortir** de la **crise** qui avait débouché sur le dépôt de son bilan en 1934:

    A. l'Etat français prit une participation importante dans les activités de Citroën ?

    B. Michelin, qui était le principal créancier de Citroën, transforma ses créances en participations ?

    C. Citroën décida d'ouvrir le capital de la société à tous les créanciers ?

Question 303

Quelle est **l'invention** qui fit, entre autres, la **richesse** de la firme chimique *Du Pont de Nemours*:

    A. la chaux ?

    B. le nylon ?

    C. la soie artificielle ?

Question 304

Outre des voitures, que **fabrique** également la firme *FIAT*:

    A. des turbines à gaz ?

    B. des bateaux ?

    C. des centrales thermiques ?

Question 305

Un de ces **affirmations** liées à l'histoire d'*IBM* est **fausse**; laquelle:

    A. IBM exploita le brevet pris par Hollerith concernant les cartes perforées ?

    B. jusqu'en 1964, IBM louait ses machines ?

    C. IBM est l'inventeur du micro-ordinateur ?

Question 306

A la suite de quel événement les **usines** de *Louis Renault* furent-elles **nationalisées**:

A. à la mort de Louis Renault, la société présentait un passif important et fut nationalisée et transformée en régie ?

B. ayant dû produire des chars d'assaut sous l'occupation allemande durant la Deuxième Guerre mondiale, la société fut nationalisée sans jugement dans l'atmosphère passionnée de la libération ?

C. la société fut nationalisée par le gouvernement d'union nationale ?

Question 307

Qu'est-ce qu'un *sovkhoze*:

A. une grande ferme modèle appartenant à l'Etat et jouant le rôle d'exploitation pilote ?

B. une coopérative agricole de production qui a la jouissance perpétuelle de la terre qu'elle occupe et la propriété collective des moyens de production ?

C. une coopérative d'exploitation industrielle qui possède la propriété collective des moyens de production ?

Question 308

Parmi ces trois événements qui touchèrent certains pays industrialisés, quelle fut la **première crise** économique de **type capitaliste** qui toucha la France:

A. celle de 1847 ?

B. celle de 1873 ?

C. celle de 1900 ?

Question 309

Qu'est-ce qui différencie *Matra* et *Rhône-Poulenc* en matière de nationalisation:

A. la société Matra fut nationalisée, contrairement à Rhône-Poulenc ?

B. dans les deux sociétés, l'Etat français a pris le contrôle à raison de 51% du capital social ?

C. alors que le groupe Rhône-Poulenc fut nationalisé, l'Etat français ne prit qu'une participation de 51% dans le groupe Matra ?

Question 310

Un de ces trois pays ne fait pas partie des *Nouveaux pays industrialisés*; lequel:

A. la Corée du Sud ?

B. la Thaïlande ?

C. Singapour ?

Question 311

Entre 1974 et 1977, à la suite du premier choc pétrolier, quel élément a ralenti le **processus d'adaptation des entreprises françaises** aux nouvelles conditions du marché international:

A. le franc français était alors surévalué ?

B. l'Etat français soumit les licenciements à une autorisation administrative préalable ?

C. un contrat de longue durée d'approvisionnement en pétrole avait été signé entre l'Etat français et l'Iran, avantageux pour ce dernier pays, ce qui empêcha la France d'obtenir son pétrole à un coût moins élevé. Le contrat ne fut rompu qu'en 1978 ?

Question 312

Quel était le **contenu économique** de la *Constitution soviétique* de 1918:

- A. à part la création des fermes d'Etat, il n'y a pas de volet économique propre dans cette Constitution ?
- B. elle marque l'appropriation de tous les moyens de production par l'Etat soviétique ?
- C. elle ne nationalise que certains secteurs: la flotte marchande, le commerce intérieur, le sous-sol et les entreprises de plus de 10 ouvriers ?

Question 313

Qu'est-ce qui **différenciait** les IVe (1945-1950) et V^e (1950-1955) **plans quinquennaux** en URSS:

- A. jusqu'au IVe plan quinquennal, l'accent était mis sur la croissance dans le secteur des industries lourdes; à partir du Ve plan, l'accent est mis sur la production de biens de consommation et ceux fournis par les industries légères ?
- B. à partir du Ve plan, l'accent est mis sur l'industrialisation lourde ?
- C. à partir du Ve plan, l'accent est mis sur le développement des infrastructures détruites durant la Seconde Guerre mondiale ?

Question 314

A la suite de quoi les **marchés privés réapparurent-ils en Chine** vers 1960:

- A. à la suite de l'échec du "grand bond" qui entraîne une redistribution du pouvoir politique et un retour à l'économie de marché ?

Faits, histoire et théories économiques 269

B. à la suite de la légalisation des marchés privés, y compris dans l'industrie, décidée par Mao face aux réflexes individualistes des agriculteurs qui enrayent la socialisation de l'agriculture ?

C. à la suite de l'échec de la réforme agraire qui entraîne un retour au marché privé ?

Question 315

Qu'est-ce que l'*Arabian Light* :

A. la société saoudienne qui distribue le pétrole d'Arabie Saoudite auprès des grandes compagnies pétrolières ?

B. le nom du baril de pétrole qui sert de référence à la fixation du prix du pétrole ?

C. un pétrole léger de qualité inférieure qu'on utilise dans l'industrie plastique ?

Question 316

Quel **événement** a failli provoquer la **crise bancaire**, **financière** et donc, plus généralement, économique la plus **importante** depuis 1929 :

A. la cessation de paiement des dettes du Mexique en 1982 ?

B. l'accroissement du déficit budgétaire américain entre 1982 et 1988 ?

C. le krach boursier de 1987 ?

Question 317

Parmi ces trois suggestions, quel **point commun** présentent le **Congo-Brazzaville** et la **République centrafricaine** :

A. ces deux pays possèdent à eux seuls 80% des ressources en uranium de la planète ?

B. ces deux pays ont la même monnaie ?

C. ces deux pays ont tous deux lié l'évolution de leur monnaie nationale au dollar ?

Question 318

Quelle est la **différence** entre le **PIB** et le **PNB**:

A. le PIB se différencie du PNB dans la mesure où les droits de douane ne sont pas pris en compte dans le calcul du PIB ?

B. le PIB diffère du PNB dans la mesure où on ne compte pas l'apport des nationaux qui travaillent à l'étranger dans le PIB ?

C. le PNB tient compte de ce qui est produit par les entreprise nationales tant sur le territoire qu'à l'étranger, tandis que le PIB ne compte pas l'activité des entreprises situées sur le territoire national ?

Question 319

Qu'est-ce qui **différencie** la **concurrence monopolistique** d'un **oligopole**:

A. alors que dans le monopole il y a un seul offreur du produit face à une multitude d'acheteurs, dans un oligopole, il y a un petit nombre d'offreurs face à un petit nombre d'acheteurs ?

B. alors que dans un monopole il y a un seul offreur du produit face à une multitude d'acheteurs, dans un oligopole, il y a un petit nombre d'offreurs face à une multitude d'acheteurs ?

C. alors que dans un monopole il y a un petit nombre d'offreurs d'un produit face à une multitude d'acheteurs, dans un oligopole, il y a un petit nombre d'offreurs face à une multitude d'acheteurs ?

Question 320

Quel est le **cycle économique** le plus **court**:

    A. le cycle de Kitchin ?

    B. le cycle de Juglar ?

    C. le cycle de Kuznets ?

Question 321

Une de ces trois **conséquences** de l'**inflation** est fausse; laquelle:

    A. l'inflation modérée allège la charge réelle des investissements ?

    B. l'inflation provoque des disparités nouvelles de revenus au détriment des salariés ?

    C. l'inflation augmente le pouvoir d'achat des prêteurs en augmentant le niveau des taux d'intérêts ?

Question 322

Un de ces trois phénomènes n'est pas un véritable handicap pour les **pays en voie de développement**; lequel:

    A. la croissance démographique ?

    B. l'accroissement de l'urbanisation ?

    C. la spécialisation progressive dans les cultures d'exportation ?

Question 323

Quel **inconvénient** découle d'une **balance commerciale** toujours plus en boni:

A. le danger est de subir à terme des mesures protectionnistes de la part des pays qui ont des relations commerciales avec ce pays ?

B. l'excédent commercial provoque l'accroissement de monnaie sur le territoire national, ce qui peut provoquer une croissance de l'inflation ?

C. il devient difficile de trouver des placements favorables pour l'excédent de liquidités qui découle du boni ?

Question 324

Que signifie une **hausse** des **termes d'échange** entre la France et l'Allemagne:

A. que les produits allemands coûtent de plus en plus cher en terme de produits français ?

B. que les produits allemands coûtent de moins en moins cher en termes de produits français ?

C. que le franc français prend de la valeur par rapport au deutsche Mark ?

Question 325

Comment **définit**-on la **population active** d'un pays:

A. comme l'ensemble des individus ayant entre 20 et 65 ans pour les hommes et 20 et 60 ans pour les femmes ?

B. comme l'ensemble des résidents qui occupent un emploi ou qui sont momentanément sans emploi ?

C. comme l'ensemble des nationaux qui occupent un emploi ou qui en sont momentanément ou durablement privés ?

Question 326

Quelle était **l'originalité** de l'état de **crise** dans lequel se trouvait l'économie mondiale à la **fin des années 70 et au début des années 80**:

A. c'est la première crise économique où coexistèrent l'inflation et le chômage ?

B. c'était la première grande crise structurelle en Occident ?

C. c'est la première crise importée et due, dans le cas présent, à l'augmentation des prix pétroliers ?

Question 327

Comment **calcule**-t-on officiellement le **niveau de pauvreté**:

A. le niveau de pauvreté est calculé en termes de PNB par habitant en dollars ?

B. le niveau de pauvreté est calculé en fonction de la ration alimentaire journalière des habitants ?

C. les normes de pauvreté absolue varient selon les pays et les habitudes culturelles ?

Question 328

Qu'est-ce que l'*effet Giffen*:

A. une diminution des impôts sur la croissance du PNB ?

B. une baisse de la productivité lorsqu'un pays adopte des mesures protectionnistes ?

C. l'augmentation de la demande d'un bien lorsque le prix de celui-ci augmente ?

Question 329

Un de ces événements ne fut pas à la base des **troubles économiques qui poussèrent les Russes à se révolter en 1917**; lequel:

    A. la mobilisation pour l'effort de guerre ?
    B. le manque de transport ?
    C. la faiblesse du rouble ?

Réponses

Réponse 296
☞ **A.**

Colbert (1619-1683) est le **père** de la **manufacture d'Etat** en France mais aussi, de manière plus large, du système économique connu sous le nom de **colbertisme**. Ce système est très étroitement inspiré des théories mercantilistes de l'époque qui prônent le protectionnisme.

Réponse 297
☞ **B.**

Cette célèbre **loi protectionniste** était particulièrement **destinée à empêcher les bateaux hollandais de débarquer leur cargaison dans les ports anglais**. L'efficacité de cette loi reposait surtout sur le fait qu'à l'époque, les Hollandais étaient principalement des commerçants et non des producteurs.

Réponse 298
☞ **A.**

La *conférence de Bretton Woods* (village du New Hampshire), en juillet 1944, mettait en **présence** un plan anglais défendu par *J. M. Keynes* (1883-1946) et un plan américain défendu par *H.D. White*, fonctionnaire du Trésor américain. La **prédominance** économique des **Etats-Unis** amena les participants à conclure un accord qui instaurait la **souveraineté du dollar** comme seule monnaie convertible en or à un taux fixe de 35 $ l'once. On décida également à la conférence la

création du Fonds monétaire international (*FMI*) et de la Banque internationale de reconstruction et de développement (*BIRD*).

Réponse 299

☞ C.

L'un des premiers effets notables de la création du *Marché commun* en mars 1957 fut la **réduction de 10 % des droits de douane** entre les pays membres le 1er janvier 1959, soit 21 mois plus tard. Cette mesure tient du record lorsqu'on connaît les lenteurs administratives pour mettre en œuvre ce type de décision. La **suppression des restrictions quantitatives** sur les échanges de biens et services ne se fera qu'**en 1968** en même temps que la suppression complète des droits de douane.
C'est en 1963 que le général de Gaulle s'oppose à l'entrée de l'Angleterre au sein du Marché commun et fait capoter les négociations.

Réponse 300

☞ A.

Le *plan Marshall* date du **7 juin 1947**. C'est ce plan qui contribua principalement au **redressement des économies européennes** et qui fut à la base de la prospérité retrouvée de l'Europe. La création de la CECA ne date que du 9 mai 1950. Quant à la nationalisation de la Banque de France et d'autres grandes banques françaises, elle date du 2 décembre 1945.

Réponse 301

☞ A.

La première **guerre de l'opium** (1840-1842) eut pour effet immédiat la **mainmise des Anglais sur Hong**

Kong, qui fut proclamée colonie en 1843. Les Anglais profitèrent de ce qu'un fonctionnaire de Canton avait saisi une cargaison d'opium pour exiger des compensations politiques mais surtout commerciales. Il est évident que des motifs d'expansion économique étaient à la base de ce conflit qui aurait pu rester un incident sans lendemain.

Réponse 302

☞ B.

C'est **grâce** à *Michelin* que *Citroën* put **sortir** de la **crise** dans laquelle la société s'était enlisée à la suite de la crise de 1929. C'est, en effet, en **convertissant** sa **créance en participation** que Michelin donna le bol d'air nécessaire à la reprise des activités.

Réponse 303

☞ B.

C'est la **découverte** du **nylon** qui fit en grande partie le **succès** de *Du Pont de Nemours*, qui est aujourd'hui la première société chimique du monde.

Réponse 304

☞ A.

En plus des voitures, le **groupe** *FIAT* construit également des **turbines à gaz**, du **matériel ferroviaire** et des **moteurs diesels**. Le groupe FIAT est le groupe industriel le plus important d'Italie. La société était à l'origine un modeste atelier qui se développa progressivement. En 1905, Giovanni Agnelli racheta toutes les actions en Bourse et en devint le quasi-propriétaire. Il dut faire appel, au cours des années 80, à des capitaux libyens pour sortir le groupe du marasme dans lequel la crise l'avait plongé.

Réponse 305

☞ C.

Ce n'est pas la firme *IBM* qui inventa et mit sur le marché les **micro-ordinateurs**. Par contre, ce fut bien elle qui **exploita le brevet de *Hollerith* pris sur les cartes perforées** et qui allait faire le succès et le quasi-monopole d'IBM dans l'informatique. Il est tout aussi vrai qu'*IBM* dut se soumettre à une **loi anti-trust** datant de 1964 qui l'obligea à vendre ses machines alors qu'auparavant elle les louait.

Réponse 306

☞ B.

C'est à la fin de la Seconde Guerre mondiale et dans l'euphorie de la libération que la décision est prise de **nationaliser les usines *Renault*** pour en faire une régie. Ingratitude d'un peuple qui avait utilisé les taxis Renault pour la bataille de la Marne et qui se révolta parce que les usines Renault avaient dû construire des chars allemands sous l'occupation. Le moyen de faire autrement ...?

Réponse 307

☞ A.

Un *sovkhoze* est une **grande ferme modèle** appartenant à l'Etat et jouant le rôle d'exploitation pilote, alors qu'un kolkhoze, dont la création date de 1929, est une coopérative agricole de production qui a la jouissance perpétuelle de la terre qu'elle occupe et la propriété collective des moyens de production.

Réponse 308

☞ A.

La **crise de 1847** fut la **première crise** de type **capitaliste** qui eut lieu **en France**. Elle survint après une période de croissance très rapide liée au développement des chemins de fer et à la spéculation boursière que cela suscita.

La **crise de 1873** affecta l'ensemble des pays industrialisés et marqua, à partir de 1873 et jusqu'à la fin du siècle, une **période de baisses des prix**. Cette crise, qui démarra en Allemagne, fut essentiellement monétaire. Elle provoqua un effondrement boursier à Vienne et à Berlin.

La **crise inflatoire de 1900** se déroula en deux étapes distinctes. La première naquit de l'industrialisation en Russie. La crise se propagea par la suite faiblement en Europe. La découverte de l'or en Afrique du Sud fut cependant la principale raison pour laquelle les économies industrialisées furent entraînées dans une spirale de hausses des prix de longue durée.

Réponse 309

☞ C.

Alors que le groupe *Rhône-Poulenc* fut **nationalisé**, l'Etat français ne prit qu'une **participation de 51% dans le groupe** *Matra*. Ceci marque bien la différence entre la nationalisation et la prise de contrôle. Dans un cas, l'Etat prend le contrôle du groupe à 100%, il s'agit alors d'une nationalisation. Si l'Etat ne prend une participation qu'à raison de 51% du capital social, il s'agit d'une prise de contrôle.

Réponse 310

☞ B.

La Thaïlande ne fait pas (encore...) **partie** de ce qu'on nomme communément les *Nouveaux Pays Industrialisés* (NPI), qui sont au nombre de six: Taïwan, Singapour, Hong Kong, la Corée du Sud, le Brésil et le Mexique. Ces pays se sont caractérisés au cours de la dernière décennie par une très **forte croissance** de leur **PNB**, une **industrialisation rapide**, une **croissance rapide des exportations** et un rôle important de l'Etat.

Réponse 311

☞ B.

De 1974 à 1977, la **politique** de l'emploi en France fut orientée de manière à **protéger l'emploi**. C'est ainsi que les licenciements étaient soumis à des autorisations administratives préalables. Les **rigidités** en matière d'emplois ne permirent pas facilement aux entreprises françaises de s'adapter aux nouvelles contraintes de coûts imposées par l'augmentation des prix de l'énergie.

Réponse 312

☞ C.

La *Constitution soviétique* de 1918 **ne nationalise que certains secteurs**: la flotte marchande, le commerce intérieur, le sous-sol et les entreprises de plus de 10 ouvriers. De même sont créés les *sovkhozes* (fermes d'Etat) et les coopératives, qui sont chargées de l'organisation du commerce intérieur.

Réponse 313

☞   A.

Alors que durant le **IVe plan** (1945-1950) l'accent était mis sur la **reconstruction des infrastructures et la croissance de la production des biens de production**, le **V^e plan** marquera un **retour** à des **considérations** plus **populaires**. Le développement de la consommation et du niveau de vie des Soviétiques est tel que Khrouchtchev annonce, en 1961, un rattrapage des pays capitalistes pour les années 1970-1980. L'accent est également mis sur la croissance de la production dans les industries légères.

Réponse 314

☞   A.

C'est l'**échec** du "**grand bond en avant**" (1958-1960) qui entraîne une **diminution du pouvoir** politique de *Mao Zedong* au profit de Lin Shao-Ch'i et un retour à l'économie de marché.

La **réforme agraire** date quant à elle de la période 1949-1952 et fut une **réussite**.

De manière générale, Mao bâtit sa politique sur le soutien très important des agriculteurs et les problèmes ne vinrent pas de ce secteur mais bien de la redistribution de la croissance entre la campagne et les villes.

Réponse 315

☞   B.

L'*Arabian Light* est le nom donné au **baril de pétrole brut de l'Arabie Saoudite** qui sert à déterminer le prix officiel du pétrole de l'OPEP (lorsque les membres de celle-ci sont d'accord entre eux). Il est à **opposer** au **prix spot**, qui est le prix du pétrole sur le marché libre de Rotterdam.

Réponse 316

☞A, B ou C.

Chacun peut accorder une importance plus ou moins grande à l'un de ces trois grands fléaux et l'argumenter. Toutefois, nous considérons que l'**endettement des pays en voie de développement (PVD) a été l'événement qui mena le système économique mondial le plus près de la catastrophe.**

En 1982, le **Mexique,** endetté de près de 100 milliards de dollars, ne peut plus faire face à ses échéances de paiement. On frôle la catastrophe bancaire et financière. Les différents pouvoirs politiques et bancaires se réunissent alors pour éviter le pire et négocier un rééchelonnement de la dette du Mexique.

Mais imaginons à quoi ressemblerait une telle crise en cas de cessation de paiement des PVD. Plus de 800 milliards de dollars ne seraient pas remboursés à la majorité des **grandes banques internationales,** ce qui aurait pour effet de les mettre en **faillite** (en plus de la crise de confiance qui s'ensuivrait et de la ruée des épargnants vers les banques pour retirer tant bien que mal leur argent, alors que les banques ne peuvent faire face qu'à une petite proportion des demandes de retrait). Le **défaut de liquidité** qui suivrait interdirait toute activité économique au niveau mondial en quelques jours. Les entreprises se verraient dans l'**impossibilité de payer** leurs fournisseurs, leurs employés, etc. Un **nombre incroyable de faillites** serait immanquablement provoqué. La crise qui en découlerait n'aurait aucune commune mesure avec celle de 1929. Cette crise plongerait le monde entier dans un chaos économique sans précédent.

Aujourd'hui toutefois, les banques qui possèdent beau-

coup de créances envers les PVD se sont efforcées
d'amortir ces créances plus que douteuses. Les effets
d'une telle crise seraient toujours considérables mais
jamais aussi apocalyptiques que ce qui aurait pu se produire en 1982.

Réponse 317

☞ B.

**Ces deux pays ont en commun leur monnaie: le
franc CFA** (Communauté financière africaine), à l'instar du Sénégal, du Bénin, du Cameroun, du Burkina
Faso, de la Côte-d'Ivoire, du Gabon, du Mali, du Niger,
du Tchad et du Togo.

Réponse 318

☞ C.

Le **PNB** tient compte de ce qui est produit par les entreprises nationales tant sur le territoire qu'à l'étranger,
tandis que le **PIB** ne compte pas l'activité des entreprises situées sur le territoire national.

Le PIB peut se calculer comme suit:
PIB = valeurs ajoutées des secteurs institutionnels résidents + TVA grevant les produits + droits de douane et
assimilés.

Réponse 319

☞ B.

Dans un **monopole**, il y a un **seul offreur** du produit
face à une **multitude d'acheteurs**; dans un **oligopole**, il
y a un **petit nombre d'offreurs** face à une **multitude
d'acheteurs**. C'est le cas typique du marché automobile. Le marché informatique fut longtemps un quasi-
monopole à l'avantage de la firme IBM.

Réponse 320

☞ A.

Le *cycle de Kitchin* est d'une durée approximative de **quarante mois**. Il y a ainsi trois cycles de Kitchin dans un *cycle de Juglar* et une dizaine de cycles de Kitchin pour un *cycle de Kuznets*.

Le cycle de Kitchin s'explique par des variations dans l'investissement des stocks et par de petites innovations rapidement intégrables dans le processus de production.

Le *cycle de Juglar* s'étend sur une période de **9 à 10 ans**. On l'explique par les théories d'innovation. Le *cycle de Kuznets* s'étend, lui, sur une période variant de **15 à 22 ans**, et a surtout été étudié dans le secteur du bâtiment.

Réponse 321

☞ C.

L'**inflation** a généralement pour effet de provoquer une **diminution du pouvoir d'achat réel des prêteurs en diminuant le taux d'intérêt réel**.

Même si les taux d'intérêt nominaux croissent, une fois l'inflation déduite de ceux-ci, le taux d'intérêt réel qui en résulte est plus faible que celui qui prévaut dans une situation où le taux d'inflation est faible. Ce qui allège donc la charge réelle des investissements.

Quant aux salariés, ils sont en général les derniers à observer un ajustement de leurs revenus en cas d'inflation, alors que les indépendants ou les entreprises peuvent ajuster plus directement leurs prix.

Réponse 322

☞ C.

Les **cultures d'exportation** ne sont pas nécessairement un désavantage pour un pays en voie de développement. Si l'endettement du pays n'est pas trop important, les **devises** dégagées peuvent permettre l'acquisition de matériel de haute technologie par exemple. Toutefois, les cultures d'exportation se sont souvent faites **au détriment des cultures locales** qui contribuaient à satisfaire les besoins alimentaires locaux.

La **croissance démographique** est quant à elle un réel **handicap**, dans la mesure où le PNB doit croître dans la même proportion que la population pour laisser le niveau de vie des individus intact. C'est souvent loin d'être le cas à l'heure actuelle.

L'**urbanisation croissante** est dans tous les cas un **problème grave** car se développent alors le chômage, la misère (bidonvilles), la nécessité de développer de nouvelles infrastructures, de nouveaux logements, alors qu'apparaissent les problèmes d'approvisionnement.

Réponse 323

☞ A. B. ou C.

Il n'y a pas une affirmation plus pertinente que les autres pour cette question. **Plus la balance commerciale est excédentaire, plus il devient difficile à terme d'utiliser convenablement les excédents de liquidités qui en découlent.** Le Japon en fait aujourd'hui l'expérience. Par contre, si le pays est de taille réduite, il n'aura aucune difficulté à trouver ailleurs des placements avantageux.

Les **mesures de rétorsion** sont toujours à craindre en commerce international. C'est surtout le cas si les pays qui ont une balance commerciale déficitaire par rapport aux pays bénéficiaires sont toujours les mêmes.

Il est vrai que **si l'excédent de monnaie ne peut être prêté à l'extérieur, il y a risque d'inflation.** Les Etats-Unis ont fait l'expérience pendant 20 ans (1950-1970) d'une balance commerciale excédentaire, mais comme ils prêtaient les fonds excédentaires à l'étranger, ils ne furent pas confrontés à une inflation galopante.

Réponse 324

☞ B.

L'augmentation des termes de l'échange entre la France et l'Allemagne signifie, à titre purement exemplatif, qu'il faut moins de voitures *Peugeot* qu'auparavant pour acheter une *Mercedes*. C'est donc une évolution favorable pour la France.

Les termes de l'échange peuvent se définir comme suit:
TE = Prix exportation France vers RFA/Prix à l'importation RFA vers France.
Si les prix à l'exportation augmentent et les prix à l'importation restent stables, les termes de l'échange augmentent et se font en faveur de la France.

Réponse 325

☞ A.

La **population active** d'un pays se définit comme **l'ensemble des résidents qui occupent un emploi ou qui sont momentanément sans emploi.** La population active évolue donc fortement en fonction de la structure d'âge d'une population et de la population totale du pays.

Réponse 326

☞ A.

La **crise des années 80** se caractérise par la **cœxistence d'un niveau de chômage élevé et d'une inflation élevée**. La plupart des pays industrialisés étaient confrontés à des taux d'inflation supérieurs à 10% (France, Etats-Unis, Grande-Bretagne, Italie, Espagne, etc.) et à des taux de chômage élevés, également proches ou supérieurs à 10%.

Il y eut dans l'histoire du système capitaliste d'autres crises importées. De même, l'histoire de l'Occident ne fut pas épargnée par les crises structurelles, du moins si l'on s'accorde sur une définition en termes de problèmes concernant la structure socio-économique d'une société.

Réponse 327

☞ C.

Les normes de pauvreté varient selon les pays. Alors qu'aux Etats-Unis et en RFA, la pauvreté est calculée en fonction d'un **seuil exprimé** en **dollars** ou en deutsche Marks, en **France**, il s'agit d'un **seuil** exprimé en **pourcentage du revenu moyen disponible par habitant.**

Réponse 328

☞ C.

L'*effet Giffen* décrit une **variation de la demande à la hausse pour un bien lorsque son prix varie également à la hausse.** Cet effet est cependant très particulier et ne concerne pas les produits de luxe. En effet, pour qu'on puisse parler d'effet Giffen, **trois conditions** doivent être réunies:

- Le produit dont le prix augmente doit être un **produit indispensable**;
- Le montant des **revenus des acheteurs** doit être très **faible**;
- Les classes les plus pauvres qui achètent ce bien doivent vivre dans une **économie monétaire** et sans ressource d'appoint (cueillette, etc.).

Réponse 329

☞ C.

La **faiblesse du rouble** n'a pas provoqué les troubles économiques qui poussèrent en partie la population russe à se révolter contre le tsar. Par contre, la **mobilisation** de 15 millions de paysans donna un coup dur à la production agricole, qui chuta de manière dramatique. L'ensemble des **transports** étant **réquisitionnés** pour l'effort de guerre, le ravitaillement des villes devint très aléatoire et aggrava la **misère des villes** où la **famine** était présente. Les premières fraternisations entre les ouvriers et les militaires se firent d'ailleurs autour des dépôts de nourriture, les soldats renonçant à sabrer la population affamée.

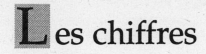Les chiffres

Question 330

De ces trois pays, quel est celui qui a le **degré d'ouverture** (rapport entre la valeur réelle des exportations et le PNB réel) de son économie **le plus élevé**:

    A. la Belgique ?

    B. les Pays-Bas ?

    C. le Japon ?

Question 331

Un **apport migratoire** eut une importance primordiale pour le développement des **activités ferroviaires aux Etats-Unis**; lequel:

    A. les migrations chinoises ?

    B. les migrations italiennes ?

    C. les migrations irlandaises ?

Question 332

Une de ces affirmations concernant la **population active française** est vraie; laquelle:

    A. seule la part de la population active du secteur tertiaire augmente, ce qui n'est pas le cas de celles des secteurs primaire et secondaire ?

    B. la part des indépendants dans la population active augmente de plus en plus ?

    C. la féminisation croissante de la population active se produit essentiellement chez les salariés ?

Question 333

Quelle est l'ampleur de l'accroissement des prix pétroliers au cours du **1er choc pétrolier**:

    A. les prix pétroliers ont triplé en cinq mois ?

B. les prix pétroliers ont quintuplé en trois mois ?

C. les prix pétroliers ont décuplé en un an ?

Question 334

Quel est le pays qui compte **le plus d'actionnaires pour 100 habitants**:

A. le Japon ?

B. la France ?

C. la Grande-Bretagne ?

Question 335

Quel est le pays qui privilégie le plus la constitution **des grandes fortunes** (plus de 10 millions de nouveaux francs français) familiales héréditaires:

A. la France ?

B. la Grande-Bretagne ?

C. les Etats-Unis ?

Question 336

Quel indicateur permet d'illustrer la **supériorité croissante du Japon sur les Etats-Unis en matière technologique**:

A. le nombre de brevets demandés par les Japonais ?

B. le nombre de brevets effectivement attribués ?

C. le rachat de brevets américains par les Japonais ?

Question 337

Quel est le domaine dans lequel la **Belgique** a fait des **résultats inférieurs** (en termes purement chiffrés) à la **France** durant 10 ans, entre 1977 et 1987:

A. le taux de création d'emplois ?

B. le taux d'inflation ?

C. l'accroissement du taux de chômage ?

Question 338

Quel fut le plus grand **mouvement migratoire de main-d'œuvre** au cours du XIXe siècle:

A. le départ des Européens vers les Etats-Unis ?

B. le déplacement des populations en Union soviétique ?

C. la migration forcée des Noirs africains à cause de l'esclavagisme ?

Question 339

A titre d'exemple sur l'internationalisation de la construction d'un bien, combien de pays occidentaux différents intervenaient dans la **construction d'une Ford Escort**:

A. 7 ?

B. 12 ?

C. 15 ?

Question 340

Quelle région géographique compte le plus de **multinationale**s:

A. l'Europe ?

B. l'Amérique du Nord ?

C. l'Asie ?

Question 341

Les **Etats-Unis** ne sont **pas leader mondial** dans un de ces trois domaines d'équipement; lequel:

A. le nombre de téléphones par 1.000 habitants ?

B. le nombre de radios par 1.000 habitants ?

C. le nombre de télévisions par 1.000 habitants ?

Question 342

Dans quelle direction ont lieu **les mouvements touristiques les plus importants**:

A. vers les pays européens ?

B. vers les pays asiatiques ?

C. vers les pays latino-américains ?

Question 343

A la fin de la Seconde Guerre mondiale, les Etats-Unis représentent la première puissance économique mondiale dans tous les secteurs. **Quel est le secteur où les Etats-Unis ont la part la plus élevée du total mondial**:

A. la production de tonnes de pétrole ?

B. la production de tonnes d'acier brut ?

C. la production de tonnes de maïs ?

Question 344

Quel est le rapport de **production automobile** entre les **Etats-Unis** et la **France** avant la Première Guerre mondiale:

A. la France produit près de 35 fois moins de voitures que les Etats-Unis en 1929 ?

B. la France produit près de 20 fois moins de voitures que les Etats-Unis en 1929 ?

C. la France produit 7 fois moins de voitures que les Etats-Unis en 1929 ?

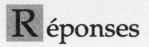éponses

Réponse 330

☞ A.

La **Belgique** est le pays qui **a l'économie la plus ouverte** de ces trois pays. Les exportations en valeur de la Belgique représentent plus de 67% du PIB, alors qu'elles ne représentent que 52,5% pour les Pays-Bas et 10,5% pour le Japon. Ceci signifie donc que **l'économie belge est la plus axée sur les exportations.**

Réponse 331

☞ A.

Un voile curieux a été jeté sur l'**immigration chinoise** aux Etats-Unis. Pourtant, c'est en grande partie grâce à celle-ci que le **réseau ferroviaire** américain a été construit.

Réponse 332

☞ C.

On observe en France une **augmentation sensible du nombre de femmes dans les emplois salariés.** On comptait 60% de femmes salariées en 1954. En 1986, ce pourcentage était de 84%.
Les femmes étaient plus de dix millions à exercer une activité professionnelle en 1988. La population active féminine représentait 35% de la population active en 1954, contre 43,3% en 1988.
Les emplois dans les secteurs secondaire (ouvriers spécialisés) **et tertiaire ont fortement augmenté,** alors que le secteur primaire voyait sa représentation au sein de la population active fortement diminuer.

Réponse 333

☞ A.

Entre l'automne 1973 et janvier 1974, le **prix du baril de pétrole brut est passé de 3 dollars à 11,65 dollars.** Auparavant, entre 1970 et 1973, les prix avaient déjà subi un accroissement de près de 80%.

Pour mémoire, les sommets furent atteints en 1980 lorsque le prix du baril se situa à 36 dollars. Au cours de la fin des années 80, le prix du baril s'est stabilisé autour de 20 dollars. Il n'avait plus guère subi d'augmentation malgré l'épuisement progressif des réserves. Les dissensions internes au sein de l'OPEP et l'exploitation du pétrole en mer du Nord étaient les causes principales de ce plafonnement.

Toutefois, l'invasion du Koweit par l'Iraq en août 1990 changea fortement les données sur les marchés pétroliers. **En octobre 1990, le baril dépassa les 40 dollars** du fait des risques de conflit qui pourraient engendrer une pénurie. La fin du conflit, supposée proche à la mi-janvier, le fit redescendre en-dessous des 20 dollars le baril. Depuis la fin des opérations militaires terrestres, le baril a retrouvé un prix voisin des 20 dollars, pour combien de temps ?

Réponse 334

☞ B.

C'est la France qui compte le plus d'actionnaires pour 100 habitants. La France compte 1 actionnaire pour 6 habitants, la Grande-Bretagne 1 actionnaire pour 8 habitants et le Japon 1 actionnaire pour 14 habitants (chiffres de 1986). Seuls les Etats-Unis font mieux avec 1 actionnaire pour 5 habitants.

Réponse 335

☞ A.

La France privilégie le plus la constitution des grandes fortunes. En effet, un héritage de plus de 10 millions de FF est taxé à 21,3% en France, alors que ce même héritage est taxé à raison de 30% aux Etats-Unis et de 52,9% en Grande-Bretagne. Toutefois, en ce qui concerne les **héritages de moyenne importance**, les Etats-Unis sont plus larges. Un héritage d'1 million de francs n'est pas du tout taxé aux Etats-Unis, alors qu'il est taxé à raison de 6,7% en France et de 9,8% en Grande-Bretagne.

Réponse 336

☞ A.

Le nombre de **brevets demandés** en 1986 par le **Japon** était de **322.400** (34% du total des 941.000 demandes) pour **122.300** aux **Etats-Unis**. Toutefois, l'efficacité américaine est nettement plus impressionnante. En effet, les Etats-Unis occupaient toujours la première place en termes de **brevets effectivement délivrés** avec 22% du total mondial pour 20% au Japon. La France arrivait quatrième, avec 8% de ce total, derrière la Grande-Bretagne (10%).

Réponse 337

☞ B.

La **Belgique** a eu un **taux d'inflation** qui a été constamment inférieur au taux d'inflation en France au cours de la période 1977-1987.

Les taux se présentaient comme suit (en %):

	Belgique	France
1977	7,1	9,3
1978	4,5	9,1
1979	4,5	10,8
1980	6,6	13,5
1981	7,6	13,4
1982	8,7	11,8
1983	7,7	9,6
1984	6,3	7,4
1985	4,9	5,8
1986	1,3	2,7
1987	1,5	3,1

Réponse 338

☞ A.

Près de **25 millions d'Européens quittent leur terre natale entre 1820 et 1900** pour émigrer vers les Etats-Unis. Les Noirs, quant à eux, représentent seulement **9.900.000 habitants** de la **population américaine** aux alentours de **1900**, dont un grand nombre nés sur place. Il est par contre difficile d'évaluer le nombre de personnes qui furent déplacée en URSS au XIXe siècle. C'est principalement au XXe siècle que Staline utilisa les déplacements de population comme outil politique.

Réponse 339

☞ C.

Pas moins de quinze pays différents intervenaient dans la construction d'une **Ford Escort**. Ceci exprime bien le degré de relations économiques nouées au sein de l'Europe et avec les pays nord-américains. Les pays suivants participaient à cette construction: le Royaume-Uni, le Danemark, les Pays-Bas, la Suisse, la Norvège, la RFA, l'Autriche, le Japon, les Etats-Unis, la Belgique, la Suède, l'Italie, l'Espagne, le Canada et la France.

Réponse 340

☞ B.

Sur les 500 maisons mères les plus importantes, 239 sont nord-américaines (222 des Etats-Unis, 17 du Canada), 138 multinationales sont européennes et le reste ou presque vient d'Asie. Sur ce continent, le Japon vient en tête avec 80 multinationales.

Réponse 341

☞ A.

Les Etats-Unis, qui ont le taux d'équipement le plus élevé dans la plupart des domaines, ne sont pas les plus équipés en ce qui concerne le nombre de postes téléphoniques par 1.000 habitants. C'est la principauté de **Monaco** qui est largement en tête avec **1.285 postes téléphoniques pour 1.000 habitants!** Suivent, dans l'ordre, la **Suède** (889), **Jersey** (860), les **Bermudes** (840), le **Lichtenstein** (820), la **Suisse** (818), **Guernesey** (795) et enfin les **Etats-Unis** avec 755 postes téléphoniques par 1.000 habitants. A part la Suisse et la Suède, les autres pays sont soit des îles (Jersey, Guernesey, Bermudes) à faible population, une principauté (Monaco) ou un petit pays (Lichtenstein).

Réponse 342

☞ A.

Les Etats-Unis exceptés, les mouvements touristiques ont lieu principalement en Europe ou vers l'Europe. Sept pays européens figurent parmi les dix premiers pays mondiaux en ce qui concerne les recettes touristiques. Le Mexique est un surprenant dixième alors que le Japon ne figure même pas dans cette liste. Les Etats-Unis viennent cependant largement en tête, avec 50% de recettes supplémentaires par rapport au deuxième pays touristique, l'Italie.

Les **mouvements touristiques secondaires** ont lieu **vers l'Asie** ou **entre pays asiatiques**. L'Amérique latine se classe deuxième dans le flux touristique secondaire surtout grâce à l'Argentine (1.800.000 visiteurs) et au Brésil (1.700.000 visiteurs)

Réponse 343

☞ A.

En 1945, les Etats-Unis représentaient **64,2% du total de la production mondiale de pétrole, 63% de la production mondiale de maïs et 53,5% de la production mondiale brute d'acier**. A cette époque, les Etats-Unis sont de loin la première économie mondiale avec un PNB qui représente près de 50% du PNB mondial!

Réponse 344

☞ B.

En 1929, **la production automobile des Etats-Unis représente 75% de la production mondiale**. Ils produisent 4.795.000 véhicules cette seule année, soit 19 fois plus que la France, qui en produit 253.000 pour la même année, chiffre considéré comme tout simplement incroyable par les Français à l'époque. Tout est relatif ...

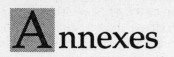

Les grandes dates de l'économie

1619	Arrivée des premiers esclaves noirs aux USA
1707	Invention du premier bateau à vapeur de Papin
1738	Invention de la machine à filer de John Whatt
1738	Invention de la navette volante de John Kay
1773	Tea Party à Boston
1776	Indépendance des Etats-Unis
1781	Invention de la locomotive à vapeur par Murdoch
1785-1830	Révolution industrielle en Grande-Bretagne (G-B)
1792	Adoption du bimétallisme or-argent par les USA et création du dollar
1793	Invention de l'égréneuse à coton par Whitney
1807	Abolition du servage en Prusse
1818	Unification de tous les tarifs douaniers en Prusse
1819	Achat de la Floride à l'Espagne par les USA
1833	Première loi sociale en G-B: interdiction du travail des femmes dans les mines
1834	Entrée en vigueur du *Zollverein*
1834	Invention de la moissonneuse à traction animale de Mac Cormick
1842	Loi sur le travail des femmes et des enfants en G-B

1844	Entrée du Texas dans l'Union des Etats-Unis
1847	Loi sur la journée de travail de 10 heures en G-B
1853	L'amiral Perry exige l'ouverture des ports japonais
1854	Instauration de la "semaine anglaise" de travail en G-B
1865	Abolition de l'esclavage aux USA
1865	Ratification des traités inégaux signés avec les nations occidentales par l'empereur Komeï
1869	Premier chemin de fer transcontinental aux USA
1870	Abolition de la féodalité et des inégalités juridiques au Japon
1871	Adoption du yen en tant que monnaie japonaise
1871	Proclamation de l'Empire allemand, adoption du mark comme monnaie impériale
1871	Scolarité obligatoire au Japon
1879	Premières mesures protectionnistes allemandes
1881	Création de l'American Federation of Labor aux USA
1882	Fondation de la Banque du Japon
1884	Droit de vote pour tous les propriétaires en G-B
1889	Adoption de la loi sur l'assurance-vieillesse
1890	Adoption du Sherman Act, loi anti-trust aux USA

1890	Tarifs protectionnistes de Mac Kinley aux USA
1894-1895	Guerre sino-japonaise
1898	Naissance de Renault
1899	Fin des traités inégaux pour les Japonais
1900	Monométallisme or aux USA
1904-1905	Guerre russo-japonaise, victoire du Japon
1907-1908	Récession mondiale
1908	Pension de vieillesse en G-B
1910	Loi douanière protectionniste en France
1911	Assurance-maladie et chômage en G-B
1912	Décès de l'empereur Meiji (Mitsu Hito)
1913	Première chaîne mobile chez Ford
1914-1918	Première Guerre mondiale
1914	Les Etats-Unis prennent le leadership mondial au niveau économique
1914	Suppression de la convertibilité de la livre sterling
1917	Application d'un impôt sur le revenu en France
1917	Réévaluation du yen japonais
1917	Révolution en URSS
1917, décembre	Nationalisation des banques russes
1918, juin	Nationalisation du commerce et de l'industrie en URSS
1921	Adoption de la NEP (Nouvelle politique économique) en URSS
1921	Le montant des réparations pour dommages de guerre que les Allemands doivent payer est fixé à 132 milliards de marks-or
1924	Mort de Lénine
1924, septembre	Application du plan Dawes sur les dom-

	mages de guerre payés par l'Allemagne
1925	Convertibilité de la livre sterling (Gold standard Act)
1925	Instauration du suffrage universel masculin
1926, juin	Récession en France due à la stabilisation économique imposée par Poincaré
1927	Découverte de champs pétroliers en Iraq par l'IPC
1927	Fin de la NEP (Nouvelle politique économique) en URSS
1928	Premier plan quinquennal en URSS
1929	Le poids des réparations pour dommages de guerre est allégé pour les Allemands
1929, 24 octobre	Krach à la Bourse de Wall Street
1931	Création du Commonwealth
1931	Invasion de la Mandchourie
1932	Abandon du libre-échange en G-B
1932, décembre	La France ne paye plus ses dettes de guerre aux alliés
1933	Les syndicats allemands se réunissent au sein du Front du travail
1933, mars	Mise en oeuvre du premier volet du *New Deal*
1933, avril	Les Etats-Unis abandonnent l'étalon-or
1934-1936	Reprise conjoncturelle en France
1934	Début des purges staliniennes
1934	Premières autoroutes en Allemagne
1935	Faillite de Citroën, prise de participation de Michelin
1936	Mise en place de l'économie de guerre
1936, décembre	Application de la loi de 40 heures en France

1937	Invasion de la Chine par le Japon
1939, septembre	Invasion de la Pologne par l'URSS
1939-1945	Seconde Guerre mondiale
1943-1944	Traité Benelux mis en oeuvre en 1945
1944, juillet	Accords de Bretton Woods Création du FMI et de la BIRD
1944, décembre	Premières nationalisations en France (Renault, transport aérien, etc.)
1945-1951	Instauration du Welfare State en G-B (gouvernement travailliste)
1945	Adoption de la loi autorisant les syndicats au Japon
1945, février	La France obtient des prêts d'urgence des USA et de la G-B
1945, 6 septembre	Inauguration du Welfare State aux USA
1945, octobre	Création de la sécurité sociale en France
1945, décembre	Nationalisation de la Banque de France et des banques de dépôt
1946	L'industrie lourde allemande est déman- telée et remontée dans les pays vain- queurs
1946	Réforme agraire au Japon
1947	Démembrement des Zaîbatsus, cartels japonais
1947, janvier	Plan Monnet
1947, 30 octobre	Signature des accords du GATT
1948, janvier	Le franc français dévalue de 80%
1949	Création du COMECON
1949	Dévaluation de la livre sterling de 30%
1949	Les Etats-Unis donnent un milliard de dollars à l'Allemagne au titre d'aide à la reconstruction dans le cadre du plan Mar- shall

1950	Début de la guerre de Corée
1950	La RDA adhère au COMECON
1950	Reconstitution des trusts japonais
1951, 18 avril	Traité instituant la Communauté européenne du charbon et de l'acier
1951	Création de l'ALADI (Association latino-américaine d'intégration)
1951	Traité de San Francisco, le Japon retrouve son autonomie
1953	Mort de Staline
1957, 25 mars	Traité instituant le marché commun et l'EURATOM
1957	Création de la Banque européenne d'investissement
1958, décembre	Création du franc lourd en France
1959, 1er janvier	Première réduction des droits de douanes (10%) à l'intérieur de la Communauté
1959	Création de l'Association européenne de libre échange
1960	Création de l'OPEP
1961, 30 septembre	Création de l'OCDE (Organisation de coopération et de développement économique)
1961	J. F. Kennedy inaugure sa politique de "Nouvelle frontière"
1961	Les Américains interviennent au Viêt-nam
1962, 1er juillet	Baisse de 50% des droits de douane pour les pays de la CEE
1963	Admission du Japon à l'OCDE
1964	Création de la CNUCED
1965, 8 avril	Fusion des exécutifs de la CECA, de l'EURATOM et de la CEE

1968, 1er juillet	Réalisation de l'union douanière
1968, 28 juillet	Libre circulation des travailleurs au sein de la CEE
1968	New Delhi, accords des 1% du PNB au profit des PVD
1971	Accords du Smithsonian Institute prévoyant la création du serpent monétaire
1971, décembre	Dévaluation du dollar, abandon des accords de Bretton Woods
1972, avril	Traité instituant le serpent monétaire: accords de Bâle
1973, 1er janvier	Adhésion de la Grande-Bretagne, du Danemark et de l'Irlande à la CEE
1973	Premier choc pétrolier
1975, 28 février	Première convention de Lomé
1976	Fin de la guerre du Viêt-nam
1976, septembre	Plan Barre
1978, 4 décembre	Traité instituant le Système monétaire européen
1979, 7 et 10 juin	Première élection au suffrage universel direct de l'assemblée parlementaire de la Communauté européenne
1979	Second choc pétrolier
1981, 1er janvier	Adhésion de la Grèce à la CEE
1981	La gauche française gagne les élections, durée légale de la semaine de travail portée à 39 heures, nationalisation de 36 banques d'affaires, de 5 groupes industriels et de 2 compagnies financières
1985	Le dollar passe la barre des 10 FF
1986, 1er janvier	Adhésion de l'Espagne et du Portugal à la CEE
1986, juillet	Privatisation de 65 entreprises nationali-

	sées en France
1986	La RFA premier exportateur mondial
1989-1990	Fin du bloc de l'Est
1990	la livre sterling adhère au Système monétaire européen
1990, août	Invasion du Koweït
1990, octobre	Le baril à plus de 40 dollars
1991, février	Fin de la guerre du Golfe

Les écoles et leurs représentants

L'école mercantiliste: 1550-1776

Pensée: l'afflux d'or et d'argent est l'origine de la richesse pour l'Etat-nation.

Le commerce international est un jeu à somme nulle dont il faut tirer un maximum de profit. Les industries sont orientées vers l'exportation et les tarifs douaniers sont protectionnistes mais sélectifs: limitation des importations qui concurrencent les productions nationales, liberté d'importer les matières premières, aides à l'exportation.

Principaux représentants en France:
Jean Bodin (1530-1596)
Barthélemy de Laffemas (1545-1612)
Antoine de Montchrestien (1575-1621)
Jean-Baptiste Colbert (1619-1683)
John Law (1671-1729)

Principaux représentants en Grande-Bretagne:
Thomas Mun (1571-1641)
William Petty (1623-1687)♦
Josuah Child (1630-1690)
Bernard Mandeville (1670-1733)
David Hume (1711-1776)♦

♦ Par certains aspects de leur analyse, ce sont également des précurseurs des classiques.

Les Physiocrates: 1720-1775 (spécifique à la France)

Pensée: le sol et l'agriculture sont les sources de la richesse de la nation. L'or et l'argent ne servent que comme intermédiaires d'échange.

Les physiocrates défendent la propriété privée, soutiennent l'agriculture et prônent la liberté économique, car les mécanismes économiques obéissent à une loi naturelle qui régit l'ordre du monde.

> François Quesnay (1694-1774)
> Mirabeau (1715-1789)
> Le Mercier de la Rivière (1721-1793)
> Turgot (1727-1781) non orthodoxe
> Dupont de Nemours (1739-1817)

Les précurseurs des classiques: 1650-1780

> William Petty (1623-1687)
> Pierre de Boisguilbert (1646-1714)
> Richard Cantillon (1680?-1734)
> Abbé de Condillac (1714-1780)
> David Hume (1711-1776)
> Turgot (1727-1781)

L'école classique:1776-1874

Pensée: il s'agit de définir le cadre socio-politique et économique qui permet d'atteindre un optimum économique et social.

L'école classique défend le libéralisme économique. Il ne faut pas confondre école classique et période classique, qui s'étend sur la même période et au sein de laquelle on retrouve l'école socialiste notamment.

Adam Smith (1723-1790)
Malthus (1766-1834)
Jean-Baptiste Say (1767-1832)
David Ricardo (1772-1823)

Le courant réformiste: 1819-1873

Pensée: mise en évidence des effets pervers du libéralisme économique prôné par les classiques orthodoxes.
L'intervention de l'Etat permet de compenser ces faiblesses.

Simonde de Sismondi (1773-1842)
John Stuart Mill (1806-1973)
Saint-Simon (1760-1825)

L'école socialiste: 1817-1883

Pensée: changements radicaux en vue de changer les structures économiques.
Refus de la propriété privée, attribution d'une part croissante des profits à la classe ouvrière, etc.

Saint-Simon (1760-1825)
Robert Owen (1771-1858)
Pierre Joseph Proudhon (1809-1865)
Karl Marx (1818-1883)
Rosa Luxembourg (1870-1919)

L'école marginale

W.S. Jevons (1835-1882)
Léon Walras (1834-1910)
Carl Menger (1840-1921)
V. Pareto (1848-1923)
Irving Fisher (1867-1959)

L'école du bien-être

Alfred Marshall (1842-1924)
A. C. Pigou (1877-1959)

L'analyse du capitalisme

Joseph Schumpeter (1883-1950)
John Kenneth Galbraith (1908-)

Les théories de la croissance

E. F. Lundberg (1907-)
J. Robinson (1903-)
Simon Kuznets (1901-)
F. Perroux (1903-)
B. H. Higgins (1912-)
C. P. Kindleberger (1910-)

L'école mathématique et économétrique

P. A. Samuelson (1915-)
J. Tinbergen (1903-)
W. Léontieff (1906-)

L'école monétariste

Milton Friedman (1912-)

L'exception

John Maynard Keynes (1883-1946)

Les organisations internationales

AELE

L'Association européenne de libre-échange fut créée en 1959 à l'instigation de l'Angleterre et regroupait 6 pays à l'origine: la Grande-Bretagne, la Suède, la Suisse, l'Autriche, le Danemark et le Portugal. L'Autriche, la Finlande et l'Islande se sont jointes à l'AELE par la suite, tandis que la Grande-Bretagne, le Portugal et le Danemark rejoignaient la CEE. Ce traité a pour objectif l'abolition des droits de douane et des obstacles tarifaires dans un cadre européen le plus large possible.

AID

L'Association internationale de développement est une branche de l'ONU créée en 1960.

Les prêts de l'AID sont principalement destinés aux pays les plus pauvres de la planète et se font à long terme (50 ans) et à des taux très avantageux (0,75%).

ALADI

L'Association latino-américaine d'intégration a pour objectif la création d'un marché commun au sein des pays qui ont signé les accords.

Composition: Bolivie, Colombie, Equateur, Pérou, Venezuela, Argentine, Brésil, Chili, Mexique, Paraguay, Uruguay. Création: 1980.

BEI

La Banque européenne d'investissement fut prévue par le Traité de Rome en 1957 et réellement créée en 1958.

Le rôle de la BEI est le financement à long terme des investissements contribuant à mettre en valeur les régions les plus défavorisées au sein de la CEE. Son siège est situé à Luxembourg.

BID

La Banque interaméricaine de développement fut créée en 1959 à Washington. Elle compte 44 pays membres, dont certains pays européens. Elle accorde des prêts tant aux Etats qu'à des organisations privées.

BIRD

La Banque internationale de reconstruction et de développement fut créée en 1944 lors de la conférence de Bretton Woods pour pallier les insuffisances du FMI. Son rôle essentiel est de fournir des capitaux d'investissement à des taux et conditions générales moins contraignants que ceux du marché, aux pays en voie de reconstruction ou de développement.

CACM

Le Central American Common Market fut créé en 1951 avec l'objectif de réaliser un marché commun intégré au sein des pays membres.
Composition: Costa Rica, Salvador, Guatemala, Honduras, Nicaragua.

CAEM

Voir COMECON

CARICOM

La Caribbean Community créée en 1973 a pour objectif de pourvoir à l'établissement d'un tarif extérieur commun et d'une politique protectionniste commune dans les relations avec les pays extérieurs. Il y a 13 Etats membres qui sont tous des îles des Caraïbes dans cette association, dont le siège est situé à Georgetown (Guyane).

CNUCED

La Conférence des Nations unies sur le commerce et le développement a le commerce et le développement dans ses attributions. Elle a été créée en 1964 et son siège est situé à Genève. Ses buts principaux sont l'accroissement des échanges entre les PVD eux-mêmes et avec les pays industrialisés, mais aussi la stabilisation du cours des produits de base et la diminution des obstacles douaniers et tarifaires.

COMECON

Le Council for Mutual Economic Assistance fut créé en 1949. En font partie la Bulgarie, la Hongrie, la Pologne, la Roumanie, la Tchécoslovaquie et l'URSS, qui en sont les membres fondateurs (1949); sont venus s'ajouter: la RDA (1950), la Mongolie (1962), Cuba (1972) et le Viêt-nam (1978).

Le COMECON est également connu sous le sigle **CAEM** ou Conseil d'assistance économique mutuel. Les objectifs de ce "marché commun de l'Est" se définissent progressivement:

- en 1949, on parle d'échanges d'expérience et commerciaux;
- en 1961, le COMECON doit contribuer au développement économique des pays membres;
- en 1962, l'objectif se transforme et propose l'égalisation des niveaux de développement au sein de l'organisation;
- en 1975 enfin, le COMECON se voit attribuer un rôle d'intégration économique à l'instar de ce qui se

fait au sein de la CEE;
- en 1990, remise en question du rôle du COMECON en fonction des bouleversements politico-économiques au sein des pays de l'Est;
- en 1991, fin des accords réunissant les pays au sein du COMECON.

FAO

La Food and Agriculture Organisation fut créée en 1945 et 156 pays en sont membres. Son siège est situé à Rome.

Le but de cette organisation est d'élever les conditions de vie et le niveau de nutrition dans les pays en voie de développement.

FECOM

Le Fonds européen de coopération monétaire fut créé en 1973 et possède son siège à Bâle (Suisse). Son objectif est de rétrécir progressivement les marges de fluctuation entre les monnaies communautaires sur les marchés de change.

FEDER

Le Fonds européen de développement régional a pour mission de contribuer à la correction des principaux déséquilibres régionaux au sein de la Communauté, tels que le sous-emploi, les déséquilibres agricoles ou industriels. Il a été créé en 1975 et son siège est situé à Bruxelles.

FED

Le Fonds européen de développement s'occupe de promouvoir le développement économique et social des pays liés par des accords à la CEE.

FMI

Le Fonds monétaire international fut créé en 1944 à la conférence de Bretton Woods. Son siège se trouve à Washington et l'organisation comptait, en 1989, 151 pays membres. Le but du FMI est de promouvoir la coopération monétaire internationale et l'expansion du commerce. Toutefois, depuis 1976 et la disparition des taux de change fixes, le FMI a principalement pour objectif de venir en aide aux Etats membres qui éprouvent des difficultés financières.

OCDE

L'Organisation de coopération et de développement économique fut créée le 30 septembre 1961 à Paris. Elle a succédé à l'Organisation européenne de coopération économique (OECE) qui avait été créée en 1948 et réunissait 18 pays européens. L'OCDE se différencie de l'OECE par une composition plus large: 25 pays en font partie, dont des pays non européens (Etats-Unis, Japon, Australie, Canada, Nouvelle-Zélande).

L'objet de l'OCDE est de promouvoir une saine expansion économique basée sur les lois du libéralisme, au sein des pays membres mais aussi des autres pays, notamment en améliorant les économies des pays en voie de développement.

ODECA

L'Organisation des Etats centraméricains a pour objectif l'unité politique des pays membres et un rôle de négociation pour régler les conflits. Les Etats membres de l'ODECA ont signé en 1960 un accord constituant un marché commun des pays centraméricains: le CACM (Central American Common Market).

Composition: Costa Rica, Salvador, Guatemala, Honduras, Nicaragua; création: 1951.

OPAEP

L'Organisation des pays arabes exportateurs de pétrole est un organisme dont l'objectif est de renforcer la coopération des membres dans les différentes branches de l'industrie pétrolière. Sept des membres de l'OPAEP font également partie de l'OPEP.

Composition: Arabie Saoudite, Koweit, Qatar, Libye, Emirats arabes unis, Algérie, Tunisie, Syrie, Bahrein, Iraq.

OPEP

L'Organisation des pays exportateurs de pétrole fut créée en 1960 à l'instigation du Venezuela. Son objectif est de promouvoir une politique de stabilisation des recettes pétrolières via des restrictions quantitatives. Son siège se situe à Vienne.

Composition: Iraq, Iran, Koweit, Venezuela, Qatar, Libye, Indonésie, Emirats arabes unis, Algérie, Nigeria, Equateur, Gabon.

Pacte andin

Le Pacte andin a pour objectif la constitution d'un marché commun andin. Tous les pays signataires sont également membres de l'ALADI, qui a le même objectif, sur une échelle plus vaste.

Pacte Andin: Bolivie, Colombie, Equateur, Pérou, Venezuela; création: 1969.

Les grandes dates de l'économie

Population et produit intérieur brut
(PIB) pour les pays de l'OCDE
[en milliards de dollars U.S.]

Pays	Population 87	PIB 85	PIB 87
Australie	16263	157,49	194,34
Autriche	7575	65,45	117,66
Belgique	9868	79,59	138,53
Canada	25652	348,42	413,90
Danemark	5130	58,09	101,40
Espagne	38830	164,15	288,00
Etats-Unis	243915	3959,61	4435,78
Finlande	4932	54,34	88,02
France	55627	522,52	879,90
Grèce	9998	33,41	47,00
Irlande	3542	18,31	29,05
Islande	245	2,89	5,32
Italie	57331	421,98	751,52
Japon	122091	1326,00	2375,37
Luxembourg	372	3,55	6,20
Norvège	4184	58,37	83,10
Nouvelle-Zélande	3309	22,18	35,73
Pays-Bas	14671	125,43	214,60
Portugal	10280	20,69	36,08
RFA	61199	622,24	1118,84
Royaume-Uni	56930	450,07	662,62
Suède	8399	100,06	159,05
Suisse	6619	92,77	170,54
Turquie	52010	52,78	65,96

Source des données des graphiques et tableaux: OCDE 89.

Produit intérieur brut par habitant et taux de change
pour les pays de l'OCDE [en dollars US]

Pays	PIB 85/hab.	Tx change 85
Etats-Unis	16547,81	2,4571
Suisse	14200,21	41,5077
Norvège	14054,90	8,5972
Canada	13836,62	10,5964
Suède	11983,23	238,54
Islande	11991,70	8,6039
Danemark	11359,01	2,944
Finlande	11085,27	1
Japon	10981,37	6,1979
RFA	10196,64	59,378
Australie	9975,30	1,3655
Luxembourg	9673,02	8,9852
France	9471,09	20,6895
Autriche	8659,70	3,3214
Pays-Bas	8655,72	59,378
Belgique	8073,65	1909,44
Royaume-Uni	7949,24	1,4319
Italie	7386,57	0,7792
N^elle^-Zélande	6778,73	2,0234
Irlande	5172,32	0,9456
Espagne	4263,08	170,044
Grèce	3363,20	138,119
Portugal	2031,42	170,395
Turquie	1058,97	521,983

Produit intérieur brut par habitant et taux de change pour les pays de l'OCDE [en dollars US]

Pays	PIB 87/hab.	Tx change 87
Suisse	25765,22	1,4912
Islande	21714,29	38,6772
Norvège	19861,38	6,7375
Danemark	19766,08	6,8403
Japon	19455,73	144,54
Suède	18936,78	6,3404
RFA	18282,00	1,7974
Etats-Unis	18185,76	1
Finlande	17846,72	4,3956
Luxembourg	16666,67	37,3341
Canada	16135,19	1,326
France	15817,86	6,0107
Autriche	15532,67	12,6425
Pays-Bas	14627,50	2,0257
Belgique	14038,31	37,3341
Italie	13108,44	1296,07
Australie	11949,82	1,4282
Royaume-Uni	11639,21	0,6119
N^{elle}-Zélande	10797,82	1,6946
Irlande	8201,58	0,6729
Espagne	7416,95	123,478
Grèce	4700,94	135,43
Portugal	3509,73	140,882
Turquie	1268,22	857,216

Croissance réelle annuelle du PIB dans les pays de l'OCDE [variation en % d'année en année]

Pays	1980	1985	1986	1987
Australie	2,3	4,9	2,1	4,1
Autriche	3	2,6	1,4	1,5
Belgique	4,3	0,9	1,9	2
Canada	1,5	4,6	3,1	4
Danemark	-0,4	4,3	3,1	-0,7
Espagne	1,2	2,3	3,3	5,5
Etats-Unis	-0,1	3,8	3	3,6
Finlande	5,4	3,5	2,3	3,8
France	1,6	1,7	2,1	2,2
Grèce	1,8	3,1	1,2	-0,4
Irlande	3,1	1,6	-0,4	4,1
Islande	5,6	3,3	7,1	8,7
Italie	4,2	2,6	2,5	3
Japon	4,4	4,7	2,5	4,2
Luxembourg	1,2	3,7	4,7	2,5
Norvège	4,2	5,3	4,2	0,9
N^{elle}-Zélande	1,7	0,9	3,3	-2,4
Pays-Bas	0,9	2,6	2,1	1,3
Portugal	4,7	2,8	4,3	4,7
RFA	1,4	2	2,3	1,9
Royaume-Uni-2		3,6	3,1	3,8
Suède	1,7	2,1	1,1	2,4
Suisse	4,6	4,1	2,8	2,3
Turquie	-0,7	5,1	8,3	7,3

Croissance réelle annuelle du PIB par habitant dans les pays de l'OCDE

	U.S.A.	Japon	RFA	France	R.U
1980	-1,3	3,6	1	1,1	-2,1
1981	1,2	6,1	0	0,6	-1,2
1982	-3,6	2,1	-0,6	2	1,3
1983	2,9	2,5	1,9	0,2	3,8
1984	6,2	4,3	3,2	0,9	1,6
1985	2,8	4,1	2,2	1,2	3,3
1986	2	1,8	2,2	1,7	2,8
1987	2,6	3,7	1,8	1,7	3,5

PIB réel par habitant (variation en % d'année en année)

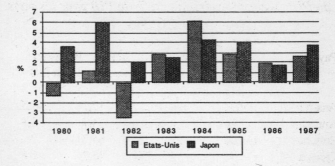

PIB réel par habitant (variation en % d'année en année)

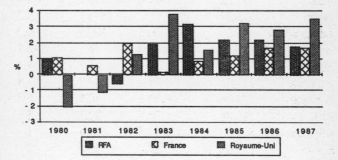

*Produit intérieur brut en milliards de dollars US;
exportations et importations de biens et services en %
du PIB; balance extérieure en % du PIB pour les pays
de l'OCDE*

Pays	PIB 87 milliards de $	Export. % du PIB	Import. % du PIB	Bal. extér. % du PIB
Australie	194,34	16,2	17,7	-1,5
Autriche	117,66	35,5	34,7	0,8
Belgique	138,53	67,7	64,7	3
Canada	413,9	26,5	25,7	0,8
Danemark	101,4	31,7	29,9	1,8
Espagne	288	19,7	19,5	0,2
Etats-Unis	4435,78	7,4	10,8	-3,4
Finlande	88,02	25,2	24,8	0,4
France	879,9	20,8	20,7	0,1
Grèce	47	22,9	29,5	-6,6
Irlande	29,05	59,6	52,9	6,7
Islande	5,32	35,4	35,9	-0,5
Italie	751,52	19,6	18,9	0,7
Japon	2375,37	10,5	7,3	3,2
Luxembourg	6,2	100,7	100,1	0,6
Norvège	83,1	35,9	38	-2,1
Nelle-Zélande	35,73	27,3	26,2	1,1
Pays-Bas	214,6	52,5	49,7	2,8
Portugal	36,08	34,1	40,5	-6,4
RFA	1118,84	28,7	23,7	5
Royaume-Uni	662,62	26,4	27,4	-1
Suède	159,05	32,4	30,4	2
Suisse	170,54	35,4	34,6	0,8
Turquie	65,96	21,3	22,9	-1,6

Evolution des importations de biens et services pour les pays de l'OCDE [en % du PIB]

	Etats-Unis	Japon	RFA	France	Royaume-Uni
1980	10,7	14,6	27,1	22,7	25,2
1981	10,3	14	28,2	23,5	23,9
1982	9,5	13,8	27,6	23,7	24,7
1983	9,5	12,2	26,9	22,6	25,8
1984	10,5	12,4	28,4	23,5	28,9
1985	10,1	11,2	28,8	23,3	28,2
1986	10,3	7,5	24,9	20,3	27
1987	10,8	7,3	23,7	20,7	27,4

Evolution des exportations de biens et services pour les pays de l'OCDE [en % du PIB]

	Etats-Unis	Japon	RFA	France	Royaume-Uni
1980	10,2	13,7	26,5	21,5	27,6
1981	9,7	14,8	28,9	22,6	26,9
1982	8,7	14,6	30	21,8	26,6
1983	7,9	14	28,9	22,5	26,8
1984	7,6	15,1	30,8	24,1	28,8
1985	7,1	14,6	32,4	23,9	29,3
1986	6,9	11,5	30,1	21,3	26,3
1987	7,4	10,5	28,7	20,8	26,4

Evolution de la balance commerciale pour les pays de l'OCDE [en % du PIB]

	Etats-Unis	Japon	RFA	France	Royaume-Uni
1980	-0,5	-0,9	-0,6	-1,2	2,4
1981	-0,6	0,8	0,7	-0,9	3
1982	-0,8	0,8	2,4	-1,9	1,9
1983	-1,6	1,8	2	-0,1	1
1984	-2,9	2,7	2,4	0,6	-0,1
1985	-3	3,4	3,6	0,6	1,1
1986	-3,4	4	5,2	1	-0,7
1987	-3,4	3,2	5	0,1	-1

Balance courante en % du PIB

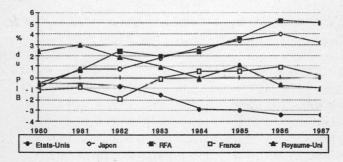

Indice des prix à la consommation dans les pays de l'OCDE

Pays	1980	1985	1987	Moyenne 79-87
Australie	10,2	6,8	8,5	8,6
Autriche	6,4	3,2	1,4	4,2
Belgique	6,6	4,9	1,6	5,5
Canada	10,2	4,0	4,4	7,0
Danemark	12,3	4,7	4,0	7,4
Espagne	15,6	8,8	5,3	11,3
Etats-Unis	13,5	3,5	3,7	5,8
Finlande	11,6	5,9	4,1	7,6
France	13,6	5,8	3,1	8,4
Grèce	24,9	19,3	16,4	20,9
Irlande	18,2	5,4	3,2	10,7
Islande	57,5	31,9	18,3	42,0
Italie	21,2	9,2	4,7	12,5
Japon	8,0	2,0	-0,2	2,7
Luxembourg	6,3	4,1	-0,1	5,2
N^{elle}-Zélande	17,1	15,4	15,7	13,2
Norvège	10,9	5,7	8,7	9,0
Pays-Bas	6,5	2,2	-0,7	3,3
Portugal	16,6	19,6	9,4	19,1
RFA	5,5	2,2	0,2	3,1
Royaume-Uni	18	6,1	4,2	7,6
Suède	13,7	7,4	4,2	8,3
Suisse	4,0	3,4	1,5	3,4
Turquie	110,2	45,0	38,9	45,0

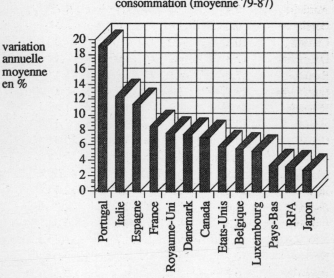

Variation de l'indice des prix à la
consommation (moyenne 79-87)

variation
annuelle
moyenne
en %

Capacité ou besoin de financement des administrations publiques des pays de l'OCDE [en % du PIB]

PAYS	1980	1985	1986	1987
Australie	-0,9	-2,8	-1,3	x
Autriche	-1,7	-2,5	-3,7	-4,1
Belgique	x	x	x	x
Canada	-2,8	-7,1	-5,5	-4,6
Danemark	-3,3	-2	3,5	2
Espagne	-2,6	-7	-6,1	x
Etats-Unis	-1,5	-4,2	-4,4	-3,5
Finlande	0,3	0,1	0,8	-1,1
France	0	-2,8	-2,9	-2,4
Grèce	x	x	x	x
Irlande	-11,1	-10,6	-10,5	x
Islande	1,7	-1,4	-3,9	-0,6
Italie	-8,6	-12,5	-11,7	-11,2
Japon	-4,4	- 0,8	-1	0,6
Luxembourg	-0,5	x	x	x
Norvège	5,7	10,2	5,5	3,5
N^{elle}-Zélande	x	x	x	x
Pays-Bas	-4	-4,8	-5,9	-6,2
Portugal	5,5	x	x	x
RFA	-2,9	-1,1	-1,3	-1,8
Royaume-Uni	-3,5	-2,9	-3,1	x
Suède	-3,7	-3,8	-0,6	4,1
Suisse	x	x	x	x
Turquie	x	x	x	x

x = données indisponibles.

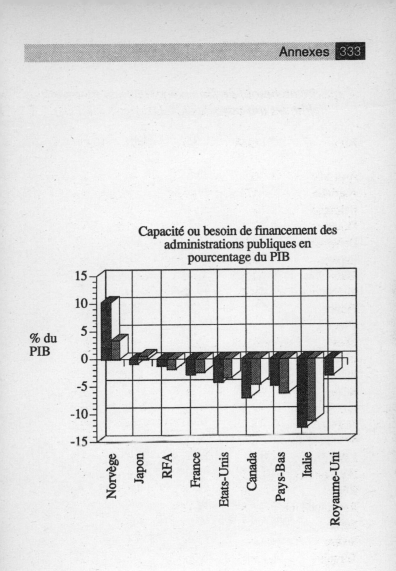

Capacité ou besoin de financement des administrations publiques en pourcentage du PIB

Ressources courantes des administrations publiques pour les pays de l'OCDE [en % du PIB]

Pays	1980	1985	1986
Australie	31,3	33,5	x
Autriche	46,4	48,3	47,6
Belgique	42,7	46,1	44,8
Canada	36,2	38,7	39,2
Danemark	52,2	56,7	58
Espagne	29,7	34,5	35,9
Etats-Unis	30,8	31,3	31,3
Finlande	35,8	40,3	41,8
France	45,5	48,5	48,5
Grèce	30,5	34,9	36,4
Irlande	38,8	x	x
Islande	33,3	32,3	32,1
Italie	32,9	38,2	38,9
Japon	27,6	31,2	31,3
Luxembourg	53,2	x	x
Norvège	54,2	56,6	56,3
N^{elle}-Zélande	x	x	x
Pays-Bas	52,8	54,5	52,8
Portugal	31,4	x	x
RFA	44,7	45,6	44,7
Royaume-Uni	40,1	42,7	41,9
Suède	56,6	59,5	61,5
Suisse	32,8	34,4	35
Turquie	x	x	x

x: données indisponibles.

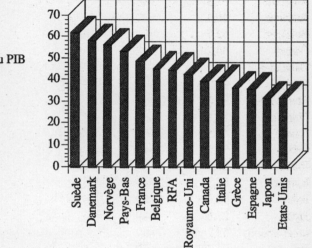

Ressources courantes des administrations en pourcentage du PIB(1986)

Taux de chômage des pays de l'OCDE
[en % de la population active]

Pays	1980	1985	1986	1987
Australie	6	8,2	8	8,1
Autriche	1,5	3,6	3,1	3,7
Belgique	7,7	12	11,3	11,2
Canada	7,5	10,5	9,6	8,9
Danemark	7	9	7,9	7,9
Espagne	12,3	21,8	21,4	20,6
Etats-Unis	7,2	7,1	7	6,2
Finlande	4,7	5	5,2	5,1
France	6,4	10,2	10,5	10,6
Grèce	2,8	7,8	7,2	7,6
Irlande	7,3	17,3	17,4	18,7
Islande	1	0,8	0,8	0,8
Italie	7,1	9,6	10,3	11
Japon	2	2,6	2,8	2,8
Luxembourg	0,7	1,6	1,4	1,6
Norvège	1,7	2,6	2	2,2
Nelle-Zélande	2,8	3,9	4,6	6
Pays-Bas	6,3	14,2	13,2	12,6
Portugal	7,8	9,2	9,1	7,8
RFA	3,3	8,3	8	7,9
Royaume-Uni	6,1	11,7	11,8	10,4
Suède	1,6	2,4	2,2	1,9
Suisse	0,2	0,8	0,7	0,7
Turquie	14,8	16,3	15,6	15,1

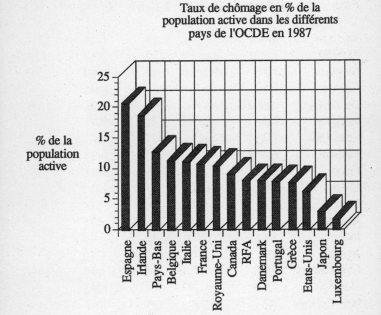

Taux de chômage en % de la
population active dans les différents
pays de l'OCDE en 1987

Répartition de l'emploi civil total
dans les pays de l'OCDE en 1987 [en milliers]

Pays	Emploi total	Agriculture	Industrie	Service
Australie	7079	413	1881	4785
Autriche	3225	244	1147	1834
Belgique	3660	100	1040	2520
Canada	11955	583	3027	8345
Danemark	2609	149	736	1724
Espagne	11383	1723	3681	5979
Etats-Unis	112440	3400	30475	78565
Finlande	2414	251	753	1410
France	20988	1486	6461	13041
Grèce	3598	971	1007	1620
Irlande	1074	164	299	611
Islande	129	14	40	75
Italie	20583	2169	6716	11699
Japon	59110	4890	19970	34250
Luxembourg	169	6	54	109
Norvège	2090	139	565	1386
N^elle^-Zélande	1554	161	425	968
Pays-Bas	5251	245	1424	3582
Portugal	4156	911	1487	1758
RFA	25456	1311	10317	13828
Royaume-Uni	24987	592	7449	16946
Suède	4337	171	1291	2875
Suisse	3273	216	1225	1833
Turquie	15950	8735	2980	4235

Répartition de l'emploi civil total en 1987
dans les pays de l'OCDE [en %]

Pays	Agriculture	Industrie	Service*
Australie	5,8	26,6	67,6
Autriche	7,6	35,6	56,9
Belgique	2,7	28,4	68,9
Canada	4,9	25,3	69,8
Danemark	5,7	28,2	66,1
Espagne	15,1	32,3	52,5
Etats-Unis	3,0	27,1	69,9
Finlande	10,4	31,2	58,4
France	7,1	30,8	62,1
Grèce	27,0	28,0	45,0
Irlande	15,3	27,8	56,9
Islande	10,9	31,0	58,1
Italie	10,5	32,6	56,8
Japon	8,3	33,8	57,9
Luxembourg	3,6	32,0	64,5
N^elle-Zélande	10,4	27,3	62,3
Norvège	6,7	27,0	66,3
Pays-Bas	4,7	27,1	68,2
Portugal	21,9	35,8	42,3
RFA	5,2	40,5	54,3
Royaume-Uni	2,4	29,8	67,8
Suède	3,9	29,8	66,3
Suisse	6,6	37,4	56,0
Turquie	54,8	18,7	26,6

* y compris administrations publiques

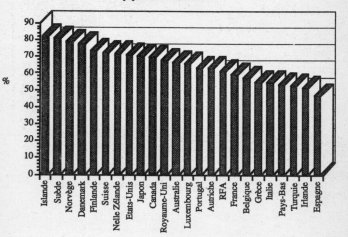

Emploi total en % de la
population de 15 à 64 ans

Répartition en pourcentage de la population civile totale entre les
différents secteurs d'activité

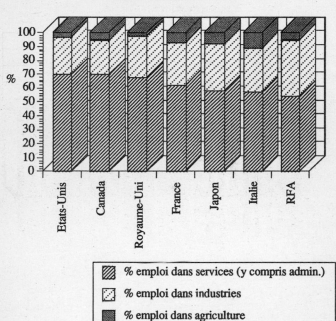

% emploi dans services (y compris admin.)

% emploi dans industries

% emploi dans agriculture

Epargne nette dans les pays de l'OCDE
[en % du PIB]

Pays	moyenne 80-87
Australie	3,4
Autriche	11,6
Belgique	6,3
Canada	8,4
Danemark	5,3
Espagne	8,6
Etats-Unis	3,7
Finlande	9,1
France	7,5
Grèce	9,4
Irlande	6,5
Islande	6,6
Italie	11,2
Japon	17,6
Luxembourg	46,1
Norvège	13,4
N^{elle}-Zélande	12,7
Pays-Bas	11,7
Portugal	18,6
RFA	9,5
Royaume-Uni	5,5
Suède	5,3
Suisse	18,8
Turquie	14,4

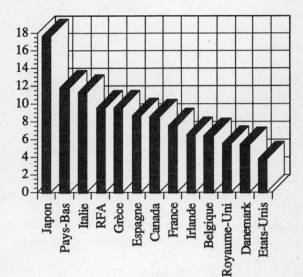

Epargne nette en % du PIB
en 1987

Bibliographie

Arnaud, R. : *La France en chiffres*; Editions Hatier; 1989

Bernard et **Colli** : *Vocabulaire économique et financier*; Editions du Seuil; 1989

Biales, M. : *Bac G; Bts : Economie en tableaux et schémas*; Foucher; 1988

Capul, J.-Y. : *Le petit Retz de l'économie*; Editions Retz; 1989

Data, Données, Analyses, Tendances, Actualité; Librairie Larousse; 1989

Dictionnaire d'histoire économique de 1800 à nos jours; Com. ; Hatier; 1987

Dornbusch, R. and **Fischer, S.** : *Macro-economics*; International Student Edition; Massachusets Institute of Technology; 1983

Encyclopédie des dates et des événements; Editions de la Courtille; 1977

Encyclopédie Larousse; Librairie Larousse; 1974

Encyclopédie Universalis; 1987

Frémy, M. et **D.** : *Quid 1991*; Robert Laffont; Edition belge; 1991

Giacobbi, M. et **Roux, J. P.** : *Le dollar, Monnaie américaine ou monnaie mondiale ?*; Hatier; 1986

Greenwald, D. : *Dictionnaire économique*; Economica; 1987

Guitton, H. et **Bramoullé, G.** : *La monnaie*; Editions Dalloz, Précis Dalloz; 1987

Hellinckx, B. : *Bien investir en actions*; Concraid Editions S.A.; 1987

Journal de l'année; Larousse, Le Monde; Librairie Larousse; 1987, 1988, 1989, 1990

Keynes, J. M. : *Théorie générale de l'emploi de l'intérêt et de la monnaie*; Petite bibliothèque Payot; 1982

Marx, K. : *Le Capital I, II et III;* Editions sociales; 1977

Mémo Larousse; Librairie Larousse; 1990

Petit Larousse illustré; Librairie Larousse; 1990

Petit Robert 2: dictionnaire universel des noms propres; Dictionnaires Le Robert; Paris; 1990

Rack d'Avezac, S. : *Le petit Retz de la nouvelle finance*; Editions Retz; 1990

Rémond, R. : *Le XXe siècle, de 1914 à nos jours*; Editions du Seuil; 1974

Salort, M.-M. et **Katan, Y.** : *Les économistes classiques*; Hatier; 1988

Vilar, P. : *Or et monnaie dans l'histoire*; Editions Flammarion, Coll. Science; 1974

Index

Les chiffres renvoient aux numéros des questions.

T

U, V, W, X, Y, Z

IMPRIMÉ EN FRANCE PAR BRODARD ET TAUPIN
1110E-5 - Usine de La Flèche (Sarthe), le 10-04-1991.

pour le compte des
Nouvelles Editions Marabout
D.L. avril 1991/0099/124
ISBN 2-501-01494-4